MOMENTOS ESTELARES
DE LA HUMANIDAD

DOCE MINIATURAS HISTÓRICAS

STEFAN ZWEIG

MOMENTOS ESTELARES DE LA HUMANIDAD

DOCE MINIATURAS HISTÓRICAS

EDITORIAL JUVENTUD, S. A.
PROVENZA, 101 - BARCELONA

Colección «Libros de Bolsillo Z»

© Editorial Juventud, 19556
    Provença, 101- Barcelona
Traducción de José Fernández
Séptima edición, 1998
Depósito legal: B. 34.960-1998
ISBN 84-261-0102-X
Núm. de edición de E. J.: 9.580
Impreso en España - Printed in Spain
Tallers Gràfics Soler, S.A.
c/. Enric Morera, 15 - 08950 Esplugues de Llobregat (Barcelona)

DOCE MINIATURAS HISTÓRICAS

EL verdadero artista lo es sin duda sin interrupción a lo largo de las veinticuatro horas de su vivir cotidiano pero lo esencial y perdurable de sus éxitos se da en esos breves y raros momentos en que recibe el divino soplo de la inspiración. Otro tanto acontece con la Historia. Admirada como egregia artista y fiel cronista de todos los tiempos, no cabe contemplarla en continua acción creadora.

Goethe le da el respetuoso apelativo de «escenario de la misteriosa obra de Dios». Un día tras otro se suceden en ella hechos y acontecimientos aparentemente vulgares e intrascendentes. Raros son, en efecto, tanto en la vida como en el arte, los momentos sublimes y memorables. En su labor continua e indiferente, la Historia va entrelazando la gigantesca cadena de los siglos y ordena los hechos humanos de modo para nosotros ininteligible.

Todo exige tiempo; cualquier acontecimiento requiere preparación. La revelación de un genio en un pueblo cualquiera es el fruto de millones y millones de seres que le han precedido; un momento estelar de la Humanidad significa la sucesión de horas, días, meses y años, al parecer estériles, que no se explican hasta su culminación en algo decisivo.

Paralelamente a lo que acontece en el mundo del arte, en que un genio perdura a través de los tiempos, en la Historia un momento determinado marca el rumbo de siglos y siglos. Lo mismo que en la punta del pararrayos converge la electricidad de la atmósfera, un espacio insignificante de tiempo contiene el germen de una serie de hechos que van desarrollándose en el futuro. Paralelos o sucesivos, los sucesos cotidianos van siguiendo su ritmo tranquilo e intrascendente hasta llegar a, por así decirlo, comprimirse en un instante decisivo y determinante, que señala un nuevo curso a la Historia. Un simple «sí» o un sencillo «no», los minutos que anteceden o siguen a algo sin importancia aparente, convierten aquel momento en algo ya irrevocable para cientos de generaciones y que fatalmente trasciende a la vida de un individuo, de un pueblo e incluso de la Humanidad entera...

Tales instantes dramáticos, preñados de destino, en los que en un día, en una hora o en un minuto se concentran decisiones perdurables, son raros en la vida de un hombre y en el curso de la Historia. Escogidos entre los que se han producido en diferentes tiempos y ambientes, me dispongo a recordar algunos de esos momentos, que llamo «estelares» porque brillan como estrellas, con su luz invariable, en la noche del pasado. No osaré alterar lo más mínimo con aportaciones personales la fuerza vital que contienen. La Historia se basta a sí misma al dar forma a los hechos en el parto de aquellos momentos sublimes; puesta a hacer de poetisa o creadora de tragedias, no hay bardo que pueda superarla.

S. Z

LA HUIDA HACIA LA INMORTALIDAD

EL DESCUBRIMIENTO DEL OCÉANO PACÍFICO: 25 DE SEPTIEMBRE DE 1513

LA EXPEDICIÓN

A su regreso del primer viaje a América, por él recién descubierta, Colón ha ido mostrando, en sus triunfales desfiles por las calles de Sevilla y Barcelona, un sinnúmero de extrañas curiosidades: hombres de piel cobriza pertenecientes a una raza hasta entonces desconocida, animales nunca vistos, multicolores y chillones papagayos, torpes tapires, plantas y frutos exóticos, que pronto se aclimataron en Europa, como el maíz, el tabaco y el coco. Todo lo admira asombrada la alegre y vocinglera muchedumbre, pero lo que más atrae la atención de los Reyes y sus consejeros son algunas arquillas y cestos con oro.

No es mucho el que trae Colón de la nueva «India»: unos cuantos objetos insignificantes cambiados a los indígenas, algunos puñados de pepitas y agujas, polvo de oro, en fin, más que oro, alcanzando todo el botín para acuñar a lo sumo algunos cientos de ducados. Pero Colón, que siempre cree lo que quiere creer y mantiene el orgullo de su gloriosa expedición a las Indias, asegura, convencido, que todo aquello no es más que una pequeña muestra de los tesoros que encierra aquel país. Tiene noticias, dignas de todo crédito, de la existencia de inmensas minas de oro en las nuevas islas y de que el rico y preciado metal se encuentra en algunos lugares bajo tan ligera capa de tierra, que basta escarbar en ella con una simple piedra para descubrirlo. Cuenta que más al Sur hay imperios donde los reyes beben en áureos vasos, pues el oro tiene allí menos valor que el plomo en España.

El monarca, siempre escaso de dinero, escucha absorto las ponderaciones que se le hacen de ese nuevo Ofir, que ya es suyo. No conoce a Colón lo bastante para desconfiar de sus promesas, y en seguida arma una gran flota para una segunda expedición.

Esta vez no se necesitan agentes para conseguir la tripulación. La simple noticia del Ofir recién descubierto, donde el oro está al alcance de la mano, trastorna a toda España, y a cientos, a millares, acuden los hombres dispuestos a partir hacia «El Dorado», el país del oro.

Pero es turbio el impulso que mueve a las gentes de villas, pueblos y aldeas. No acuden a alistarse a Palos y Cádiz sólo rancios apellidos, ansiosos de dorar su escudo, u osados aventureros y valientes soldados, sino que allí se congrega también la truhanería y la escoria de España: ladrones y maleantes que buscan nuevo campo para sus andanzas en el país del oro; individuos que huyen de sus acreedores; maridos que abandonan a sus insoportables esposas. Todos los desesperados, los fracasados y los perseguidos por la justicia pretenden un puesto en la flota, decididos a enriquecerse al instante. Unos a otros se contagian y creen las fantasías de Colón, según las cuales con sólo escarbar la tierra con una piedra encontrarán el áureo metal. Los emigrantes privilegiados se llevan consigo servidumbre y mulos para transportar rápidamente el rico botín con que sueñan. Y los aventureros que no consiguen ser admitidos en la expedición, buscan otro camino: sin preocuparse de lograr el permiso real, fletan barcos por su cuenta, para ir a acaparar oro y más oro allende el mar. España, pues, se ve libre de pronto de toda la gente de vida poco limpia y de los más peligrosos rufianes.

El gobernador de La Española (más tarde dividida en Santo Domingo y Haití) ve con espanto como irrumpen en la isla a él confiada tales indeseables. Año tras año, las naos traen nuevos cargamentos de individuos cada vez más peligrosos.

Pero la decepción alcanza también a los recién llegados,

ya que el ambicionado metal no se encuentra allí en medio de la calle ni mucho menos, y tampoco se puede arrebatar ni una pepita más a los infortunados indígenas. Ante el espanto del gobernador y de los pobres indios, aquellas hordas recorren el país en rufianesco haraganeo. En vano intenta el gobernador convertirlos en colonos mediante la concesión de tierras y abundante ganado e incluso de brazos humanos, entregando a cada uno hasta dieciséis o diecisiete nativos en concepto de esclavos. Pero ni los hidalgos de alcurnia ni los maleantes de otrora tienen el menor deseo de dedicarse a la agricultura; no han ido a aquellas tierras para cultivar trigo y guardar ganado, y en lugar de afanarse en siembras y cosechas prefieren desahogar su desilusión castigando a los pobres indios, cuya extinción se presiente próxima. En poco tiempo, la mayor parte de los emigrantes están tan entrampados, que después de haber vendido todos sus bienes han de desprenderse incluso de las prendas de vestir, empeñados hasta el cuello con usureros y comerciantes.

Venturosa noticia fue para todas aquellas vidas fracasadas de La Española la de que un notable de la isla, el jurisconsulto y «bachiller» Martín Fernández de Enciso, se disponía en 1510 a aprestar un barco para acudir con nueva tripulación en ayuda de su colonia establecida allá en el continente.

Dos célebres aventureros, Alonso de Ojeda y Diego de Nicuesa, habían obtenido del rey Fernando el privilegio de fundar, cerca del istmo de Panamá y en la costa de Venezuela, una colonia a la que algo prematuramente denominaron Castilla del Oro. Subyugado por el encanto de este nombre y dejándose llevar de engañosas habladurías, el célebre hombre de leyes había invertido toda su fortuna en la empresa; pero de la colonia fundada en San Sebastián, en el golfo de Urabá, no llega oro, sino angustiosas peticiones de auxilio: la mitad de sus hombres han desaparecido luchando con los indígenas y la otra mitad han sido víctimas del hambre. Para salvar el dinero invertido, Enciso arriesga el resto de su fortuna y organiza una expedición de socorro.

Apenas se difunde la noticia, todos los desesperados y vagabundos de La Española quieren aprovechar la ocasión y marchar con él. Pero si su afán es huir de los acreedores y de la severa vigilancia del gobernador, también los acreedores están sobre aviso, se dan cuenta de que para siempre se van a esfumar los más importantes deudores y presionan al gobernador para que no permita marchar a nadie sin un permiso especial suyo. A lo cual accede la autoridad. Se monta, pues, una estrecha vigilancia y se dispone que el barco de Enciso quede anclado fuera del puerto. Tropas del gobierno patrullan en botes para evitar que suba a bordo ningún polizón. Y con enorme amargura, aquellos desesperados que temen menos a la muerte que al trabajo honrado o a la prisión por deudas, ven como el barco leva anclas, se hace a la vela y marcha hacia la aventura sin llevarlos a ellos.

Un hombre oculto en un cofre

El barco de Enciso navega de La Española hacia el continente americano. Ya han desaparecido en el horizonte los contornos de la isla. Es una travesía tranquila en la que no se advierte de momento nada especial, a no ser el hecho de que cierto sabueso — hijo del célebre perro *Becerrico* y que también ha hecho famoso por su parte su nombre de *Leoncico* — ande inquieto por la cubierta husmeándolo todo. Nadie sabe a quién pertenece ni cómo llegó a bordo. Al fin se detiene y no se separa de una gran caja o cofre de provisiones que fue embarcado el último día. Éste se abre inesperadamente por sí mismo y de él surge dificultosamente, armado de espada, casco y escudo, como Santiago, patrón de España, un hombre de unos treinta y cinco años. Es Vasco Núñez de Balboa, que con tal ardid hace gala de su ingeniosa audacia.

Nacido en Jerez de los Caballeros, de noble familia, parte hacia el Nuevo Mundo como simple soldado con Rodrigo de Bastidas, y al fin, tras varios avatares, desembarca en

La Española. En vano intenta el gobernador hacer de él un honrado colono; al cabo de pocos meses abandona la tierra que se le ha concedido, y está tan entrampado que no sabe cómo librarse de sus acreedores. Pero mientras los otros tramposos contemplan desesperados desde la costa las evoluciones de los botes del Gobierno para impedirles llegar hasta el barco de Enciso, Núñez de Balboa logra burlar el cordón de vigilancia establecido por Diego Colón y, escondiéndose en un vacío cofre de provisiones, se hace llevar a bordo, donde entre la confusión de la partida nadie advierte la añagaza. Cuando supone que el buque se encuentra ya bastante lejos de la costa para retroceder por causa suya, se presenta el invisible polizón. Y allí está.

El bachiller Enciso es hombre de leyes y, como les suele ocurrir a los juristas, poco dado a lo novelesco. En su calidad de alcalde y jefe de policía de la nueva colonia, no está dispuesto a tolerar en ella la presencia de estafadores y demás vidas poco claras. De modo que declara terminantemente a Núñez de Balboa que no piensa llevarlo consigo, sino que lo abandonará en la primera isla que encuentren en su camino, esté habitada o no.

Pero nada de esto sucedió. Mientras el barco navega hacia Castilla del Oro, encuentran en su ruta (cosa rara en aquel tiempo, en que sólo surcaban aquellos mares, hasta entonces ignotos, unos pocos bajeles) una lancha abarrotada de hombres, al mando de uno que pronto sería famoso en todo el mundo: Francisco Pizarro. Los ocupantes del bote vienen de San Sebastián, la colonia de Enciso. En el primer momento se les toma por amotinados que han abandonado sus puestos, pero con espanto escucha después Enciso que ya no existe tal colonia de San Sebastián; ellos son los únicos supervivientes; el comandante Ojeda había huido en un barco; los restantes colonos, que sólo disponían de dos bergantines, tuvieron que esperar a que la muerte fuera reduciendo su número hasta sesenta personas, que eran las que cabían en aquellas frágiles embarcaciones. Y como si fuera poco, uno de los dos bergantines se había hundido con toda su tripulación. Los treinta y cuatro hombres que van con

Pizarro son los únicos supervivientes de Castilla del Oro. ¿Adónde dirigirse ahora?

Las gentes de Enciso no tienen, tras oír los relatos de Pizarro, ningún deseo de exponerse al terrible clima pantanoso de la colonia abandonada o a las flechas envenenadas de los indígenas. No ven otra posibilidad sino volver a La Española. Y en tan crucial momento aparece Vasco Núñez de Balboa, quien les habla de su primer viaje con Rodrigo de Bastidas y explica que conoce toda la costa de Centroamérica, e incluso recuerda que entonces dieron con un lugar llamado Darien, situado a la orilla de un río rico en oro y habitado por pacíficos indígenas; allí, pues, es donde debe fundarse la nueva colonia.

Al punto, toda la tripulación declárase favorable al proyecto de Núñez de Balboa y, de acuerdo con esa proposición, se dirigen hacia Darien, en el istmo de Panamá. Llegan al esperado lugar, se produce la acostumbrada lucha y, como entre el botín logrado se halla el precioso metal, aquellos desesperados deciden fundar allí una ciudad, acordando llamar a la nueva colonia, en prueba de piadoso agradecimiento, Santa María de la Antigua de Darien.

Ascenso peligroso

Pronto se habría de arrepentir el infortunado financiador de la colonia, el bachiller Enciso, de no haber lanzado al agua el cofre con Núñez de Balboa dentro, pues al cabo de pocas semanas aquel osado ya se había hecho poderoso.

Enciso, hombre de leyes y con las ideas de disciplina y orden muy arraigadas, intenta, como alcalde mayor o gobernador de la colonia, regirla para el mejor servicio de la monarquía española. Pese a proclamar sus edictos alojado en una cabaña india, lo hace con la misma solemnidad y rigor que si se hallara sentado en su bufete de Sevilla.

Prohíbe a los soldados el tráfico de oro con los indígenas, porque éste es un derecho que le está reservado a la Corona.

Procura someter a la ley y al orden a aquella gente indisciplinada, sin darse cuenta de que ésta se siente atraída por instinto al aventurero, al hombre de espada, para rebelarse contra el hombre de pluma. Balboa se alza al punto como verdadero dueño de la colonia, y Enciso tiene que huir para salvar su vida; incluso el propio Nicuesa, enviado luego por el Rey como gobernador para establecer el orden, se ve imposibilitado de desembarcar y, expulsado de la tierra que el Rey le había asignado, se ahoga durante el viaje de regreso.

Ya es dueño y señor de la colonia el «hombre del arcón»: Núñez de Balboa. Pero, a despecho de su éxito, no se aprovecha con tacto de aquel triunfo inicial. Y es que se ha declarado en abierta rebeldía contra el Rey y no puede esperar perdón, ya que por su causa ha encontrado la muerte el gobernador nombrado de real orden. Sabe, por otra parte, que Enciso está camino de España para formular querella contra él y que, más tarde o más temprano, habrá de verse sometido a un juicio por su rebelión. Pero piensa: España está lejos, y mientras un navío llegue a cruzar dos veces el océano, él tendrá tiempo sobrado para lo que conviene a sus fines.

Arteramente busca la única forma de mantener por el mayor tiempo posible el poder usurpado. Sabe que el éxito justifica en aquellos días cualquier acto y que una importante aportación de oro al Real Tesoro puede demorar o contrarrestar la acción de la justicia. En consecuencia, ante todo debe procurarse oro. ¡Oro es poder!

De acuerdo con Francisco Pizarro, somete y despoja a los indígenas vecinos. En una de aquellas cruentas acciones alcanza un éxito decisivo.

Uno de los caciques indios, llamado Careta, que había sido atacado en contra de las más elementales normas de hospitalidad, aconseja a Balboa, estando ya condenado a muerte, que puede convenirle más, en lugar de buscar la enemistad de los indios, llegar a una alianza con ellos, y como prenda de adhesión ofrece una hija suya al español. Núñez de Balboa reconoce al punto lo que puede significar disponer de un amigo poderoso y leal entre los indígenas; acepta la proposición de Careta y, lo que es más sorprendente, guardará fidelidad hasta la muerte a esa joven india.

Aliado con el cacique Careta, somete a todos los indios de los alrededores y adquiere tal prestigio entre ellos, que un día Comagre, uno de sus más poderosos cabecillas, le invita obsequiosamente a que le visite. La entrevista con el poderoso cacique da un sesgo trascendental a la vida de Vasco Núñez de Balboa, que hasta aquel momento no ha sido más que un desesperado, un temerario rebelde contra el Rey y destinado a acabar en prisión o bajo el hacha de la justicia castellana.

El cacique Comagre recibe a Vasco Núñez, con gran asombro de éste, en una espaciosa mansión de piedra y le regala voluntariamente cuatro mil onzas de oro.

Entonces le llega al cacique el turno de admirarse. Tan pronto como los «hijos del cielo», los poderosos extranjeros recibidos con tanta reverencia, han visto el oro, desaparece de ellos toda dignidad. Como perros sueltos se precipitan unos contra otros; salen a relucir las espadas; se crispan los puños; se empujan unos a otros; se produce un confuso griterío al pretender alcanzar a la vez su parte del precioso metal. Maravillado y despectivo, Comagre contempla la algarada. Es el asombro de todos los cándidos hijos de la Naturaleza en cualquier rincón del mundo al enfrentarse con los hijos de la cultura, cuando les ven estimar más un puñado de amarillo metal que todas las conquistas espirituales y técnicas de su civilización. El cacique dirige al fin la palabra a los alborotados huéspedes, que, con rabioso asombro, oyen de labios del intérprete lo que sigue:

— ¡Cuánto me admira que expongáis vuestras vidas a toda suerte de riesgos por un metal tan común! Por allí, tras esas altas montañas, se encuentra un mar inmenso, al que van a parar numerosos ríos que arrastran oro en sus aguas. Esas tierras están pobladas por gentes que navegan en barcos con velas y remos como los vuestros, y sus reyes comen y beben en recipientes de oro. Podéis encontrar allí tanto oro como deseéis. El camino es peligroso, porque seguramente los caciques de aquellas tribus os cerrarán el paso, pero llegaréis en pocas jornadas.

Vasco Núñez de Balboa está arrobado ante lo que oye: por fin ha encontrado el camino que conduce al legendario país del oro, con el que durante años enteros ha soñado. Los que le han precedido en sus andanzas han creído vislumbrarlo por todas partes, por el Norte y por el Sur, y he aquí que, si el cacique no miente, lo tiene a sólo unos pocos días de marcha. Además, se ha revelado ya la existencia de aquel otro océano que en vano buscaron Colón, Cabot, Corterreal, los más grandes y célebres navegantes; esto supone poder dar la vuelta al mundo, y el primero que contemple ese mar y tome posesión de él en nombre de su patria verá su nombre ensalzado eternamente por la fama.

Ya sabe Balboa lo que debe hacer para comprar la redención de sus culpas y lograr al propio tiempo honor inmarcesible: será el primero en atravesar el istmo hacia el mar del Sur, camino de las Indias, y conquistará el nuevo Ofir para la Corona española.

Su destino quedó sellado en aquel momento pasado en casa del cacique indio. Desde aquella hora, la vida de aquel osado aventurero adquirirá una significación más elevada y trascendental.

LA HUIDA HACIA LA INMORTALIDAD

No hay mayor felicidad en el destino de un hombre que hallarse en la plenitud de la vida, en los años creadores, y descubrir la propia misión. Núñez de Balboa tiene conciencia de lo que está en juego: una muerte vergonzosa en el cadalso o la inmortalidad. Y ve claramente lo que debe hacer en tan crucial momento: ante todo, reconciliarse con la Corona; luego, legitimar y legalizar la peor de sus hazañas: la usurpación del poder real.

Atento a ello, el antiguo rebelde, convertido en el más celoso de los súbditos, envía a Pasamonte, tesorero real en La Española, no solamente la quinta parte del oro regalado por Comagre, que legalmente corresponde a la Corona, sino también, más ducho en navegar por el mundo que el rígido leguleyo que era Enciso, envía, con el quinto real, un obsequio particular para el tesorero, con el ruego de que le confirme en el cargo que hasta entonces detentaba de capitán general de la colonia. No tiene atribuciones para tanto el tesorero, pero gracias al poder del áureo metal, Pasamonte envía a Balboa un documento provisional, en realidad carente de valor.

Vasco Núñez de Balboa, deseoso de afianzarse por todos lados, manda al mismo tiempo a España a dos hombres de su confianza, para que cuenten en la Corte los servicios que ha prestado a la Corona y las importantes noticias que les comunicó el cacique. Le bastará — según les encarga que digan en Sevilla — una fuerza de mil hombres; con ellos se ve capaz de hacer por Castilla más que hiciera nunca ninguno de sus súbditos. Se compromete a descubrir el nuevo mar y a conquistar el país del oro, prometido muchas veces por Colón, pero que él, Balboa, ganará finalmente para España.

Diríase que soplan ahora vientos favorables para este hombre hasta hace poco perdido, rebelde y desesperado... Pero el primer barco que viene de España trae ya malas nuevas. Uno de sus secuaces en la rebelión, enviado en su día para desvirtuar las acusaciones que el usurpado Enciso pudiera presentar ante la Corte, le comunica que sus asuntos van por mal camino y que incluso está en peligro su vida. El defraudado bachiller ha presentado una querella ante la justicia española contra el rebelde y ha logrado que se le condene a pagar una crecida indemnización. El mensaje sobre el mar del Sur, que habría podido salvarle, no ha llegado todavía a la Corte; al contrario, en el barco siguiente llegará un representante de la justicia para pedir cuentas a Balboa por su alzamiento y juzgarlo allí mismo o bien llevárselo a España cargado de cadenas.

Vasco Núñez de Balboa comprende que está perdido; se le ha juzgado antes de que hubieran podido llegar sus noticias sobre el mar del Sur y la costa rica en oro. Mientras su cabeza ruede por el suelo del cadalso, otro llevará a cabo la hazaña con que él tanto había soñado; pero, por su parte, él nada puede esperar de España.

Sabe perfectamente que ha llevado a la muerte al gobernador legal nombrado por el Rey y que ha despojado de su cargo al jefe de la expedición. Por contento se podrá dar si todo queda en simple prisión y no paga su temeridad subiendo al patíbulo. En vano puede esperar la mediación de amigos poderosos, puesto que él ya no tiene ningún poder, y su mejor intercesor, el oro, apenas si es una débil voz en su favor. Sólo una cosa puede salvarle del castigo que merece su osadía: una osadía mayor. Si descubre el nuevo mar y el nuevo Ofir antes de que lleguen los alguaciles y lo prendan y aherrojen, quizá pueda salvarse.

Sólo hay una salida posible en estos confines del mundo habitado: la huida en pos de una hazaña grandiosa, *la huida hacia la inmortalidad*.

Así, pues, Núñez de Balboa decide no esperar ni a los mil hombres que pidió a la Corona para la conquista del océano desconocido ni a que le alcance el brazo de la justicia; más vale intentar la magna empresa con unos pocos y arrojados hombres. Preferible es morir con honra en una de las más atrevidas empresas de todos los tiempos que verse ejecutado vergonzosamente en el cadalso, con las manos atadas a la espalda.

Nuestro héroe reúne a la colonia. Sin ocultar las dificultades, declara su intento de atravesar el istmo y pregunta quién quiere seguirle.

Su valor anima a los demás. Ciento noventa soldados, casi la totalidad de los hombres aptos para empuñar las armas, se muestran dispuestos a ir.

No hay que preocuparse demasiado por armarlos, pues aquellos hombres viven en un guerrear constante, y el 1.º de septiembre de 1513, Núñez de Balboa, héroe, aventurero y rebelde, emprende su marcha hacia la inmortalidad.

MOMENTO IMPERECEDERO

Inician la travesía del istmo de Panamá por la provincia de Coyba, el pequeño reino del cacique Careta, cuya hija convive con Balboa. El lugar escogido no es precisamente la parte más estrecha del istmo, y ello ha prolongado algunos días el peligroso paso. Es muy importante para tamaña empresa contar, tanto a la ida como al regreso, con la amistad de una tribu india; de aquí que, una vez decidido, en diez pequeñas canoas traslada a su gente de Darien a Coyba.

Componen la expedición ciento noventa soldados, armados de lanzas, espadas, arcabuces y ballestas, llevando consigo una jauría de los tan temidos sabuesos; el cacique aliado aporta sus indios en calidad de guías y acarreadores. Y el día 6 de septiembre da comienzo aquella marcha gloriosa a través del istmo, que únicamente habían de ser capaces de soportar aquellos aventureros de indomable voluntad, avezados a toda suerte de durísimas pruebas.

Bajo el calor sofocante de esta zona ecuatorial se ve a los españoles atravesando parajes en cuyo suelo pantanoso y lleno de miasmas encontrarían la muerte siglos más tarde miles de hombres.

Desde el primer momento se han de abrir paso con hachas y cuchillos por entre la impenetrable y venenosa selva de lianas. Cual si avanzaran por un enorme y verde túnel de herbazales, los primeros abren camino a los que los siguen entre la espesura; hombre tras hombre, en interminable hilera, siempre arma al brazo, día y noche alerta para defenderse de cualquier inopinada agresión de los nativos, avanza el ejército de los conquistadores. El calor resulta sofocante en la húmeda penumbra de la gigantesca arboleda, sobre cuyas enmarañadas copas abrasa implacablemente el sol. Cubiertos de sudor y con los labios agrietados por la sed, la voluntariosa tropa va progresando kilómetro a kilómetro sin desprenderse de su pesado armamento. De pronto se desencadenan huracanados aguaceros que en un santiamén convierten los pequeños arroyos en tumultuosos ríos, que es preciso vadear o cruzar sobre tambaleantes puentes improvisados apuradamente por los indios con lianas y cortezas de árbol.

No disponen los españoles ni de un mal puñado de maíz que llevarse a la boca. Las noches en vela, hambrientos, torturados por la sed, bajo enjambres de insectos que les aguijonean y chupan la sangre, con las ropas hechas jirones y los pies llagados, los ojos febriles y las mejillas hinchadas por las picaduras de los zumbantes mosquitos, avanzan trabajosamente, sin parar durante el día ni poder conciliar el sueño por la noche, completamente exhaustos.

Al cabo de una semana de marcha, gran parte de los expedicionarios no pueden resistir ya a los parásitos, y Núñez de Balboa, sabiendo que no se han enfrentado aún con los verdaderos peligros, ordena que se queden los enfermos de fiebre y los que se sientan agotados: quiere intentar la aventura decisiva sólo con sus seguidores más vigorosos.

Al fin empieza a elevarse el terreno. La selva se aclara, mostrándose únicamente la feracidad tropical en los terrenos pantanosos. Pero entonces pierden la protección de la sombra y el deslumbrante sol ecuatorial cae con sus rayos abrasadores sobre el bruñido acero de sus armaduras.

Lentamente y en cortas jornadas logran los expedicionarios ir ascendiendo por las laderas de la cordillera, que se alza semejante a un monolito entre los dos mares. Paulatinamente, el horizonte se amplía tras ellos y el aire refresca por la noche.

Tras dieciocho días de esfuerzos heroicos, parecen haberse superado las etapas más duras. Ante ellos tienen ya la cresta de la montaña, desde cuya cima, según aseguran los guías indios, se pueden divisar ambos océanos: el Atlántico, conocido y familiar, y el mar desconocido, el Pacífico. Pero justamente donde creen haber dejado atrás al mayor enemigo, la Naturaleza, se les presenta otro: el cacique de aquella provincia, decidido a impedir con centenares de guerreros el paso de los españoles.

Núñez de Balboa dispone ya de considerable experiencia para la lucha con los indios. Basta una salva de arcabuces para que el resplandor y el fragor de los disparos surta su mágico efecto entre los indígenas, que, gritando, huyen hostigados por los invasores y sus feroces sabuesos. Pero, en lugar de mostrarse satisfecho con tan fácil victoria, Balboa comete actos de verdadera crueldad.

Inexplicable mezcla la que existe en el carácter y naturaleza de estos conquistadores españoles. Devotos y creyentes como ninguno, invocan a Dios Nuestro Señor desde lo más profundo de su alma, pero cometen atrocidades. Obran a impulsos del más sublime y heroico valor, demuestran el más alto espíritu y capacidad de sacrificio, y al punto se traicionan y combaten entre sí del modo más vergonzoso, conservando a pesar de todo, en medio de sus vilezas, un acentuado sentido del honor y una admirable conciencia de la grandiosidad de su misión. El propio Núñez de Balboa, que aquella noche se había mostrado tan cruel con unos inocentes y maniatados prisioneros, está poseído de la importancia de su papel en la historia de la Humanidad, y en el momento decisivo acierta a realizar uno de esos gestos de grandeza que permanecen como hitos a través de los siglos. Sabe que este 25 de septiembre de 1513 será un día histórico, y, en su temperamento típicamente español, este aventurero endurecido e irreflexivo demuestra percatarse plenamente de la importancia de su proyección histórica en lo universal.

Magnífico gesto el de Balboa: por la noche, inmediatamente después de la sangrienta orgía, uno de los indígenas le señala un pico, desde donde podrá divisar el mar, el anhelado y desconocido mar del Sur.

En seguida toma Balboa sus disposiciones. Hace que queden los hombres heridos y agotados en la aldea destruida y ordena que le acompañen los que aún están en condiciones de seguir la marcha: de los ciento noventa que partieron de Darien, sólo sesenta y siete emprenden la ascensión de la montaña.

Hacia las diez de la mañana se encuentran cerca de la cumbre. No hay más que trepar hasta una pequeña eminencia y la vista se extenderá hasta el infinito. En aquel

instante, Balboa lanza la voz de «alto»; nadie debe seguirle; la primera mirada al océano ignoto no quiere compartirla con nadie. Quiere ser exclusivamente él el primer europeo, el primer español, el primer cristiano que, después de atravesar el gigantesco océano de nuestro hemisferio, el Atlántico, contemple el otro inmenso mar, el Pacífico.

Paso a paso, latiéndole fuertemente el corazón, muy penetrado de la significación del momento, asciende Núñez de Balboa el conquistador, la bandera en su izquierda, la espada en su diestra, recortándose su solitaria silueta en aquel grandioso espacio. Sube lentamente, sin apresurarse, pues la gran obra toca ya a su fin; unos pasos más, y, ya en la cumbre, se abre ante sus ojos un inmenso panorama.

Más allá de las próximas montañas, de las verdes y umbrías colinas que desde allí descienden, distingue una inmensa y brillante superficie de metálicos reflejos : ¡el mar, el nuevo mar, el legendario mar tan vanamente buscado por Colón y otros navegantes durante años y años, cuyas aguas bañan las costas de América, China y la India! Y Vasco Núñez de Balboa lo contempla extasiado y conmovido, lleno de orgullo y satisfacción, consciente de la gloria que acaba de conseguir por ser sus ojos los del primer europeo que ha descubierto el infinito azul de aquel mar. Durante largo rato, extáticamente, mira Balboa la lejanía...

Luego llama a sus camaradas para que compartan su alegría. Los hombres, prorrumpiendo en confuso griterío, impacientes y jadeantes, corren montaña arriba, remontándola como pueden para admirar asombrados la bruñida lámina de acero que se pierde en el lejano horizonte.

De pronto, el sacerdote que los acompaña, el padre Andrés de Vara, entona el *Te Deum Laudamus* y cesan inmediatamente los delirantes gritos; las duras y enronquecidas voces de aquellos soldados y aventureros se unen entonces en piadoso coro. Maravillados ven los indios como a una palabra del sacerdote se apresuran a derribar un árbol y hacen con él una cruz, en cuya madera graban las iniciales del rey de España. Mientras se erige aquel signo de redención, parece que sus brazos de madera abarquen ambos mares, el Atlántico y el Pacífico, con todas sus invisibles lejanías.

En medio del más impresionante silencio se adelanta Vasco Núñez de Balboa y habla a sus soldados. «Hacéis bien — les dice — en agradecer a Dios el que nos haya concedido este honor y esta gracia y en suplicarle que continúe ayudándonos para conquistar este mar y todos estos países. Si me seguís con la misma fidelidad que hasta ahora, volveréis a la patria como los españoles más ricos de la nueva India.» En seguida hace ondear solemnemente la bandera a los cuatro vientos, para tomar posesión en nombre de España de todos los espacios que baten aquellos vientos, y luego llama al escribano Andrés de Valderrábano para que levante acta que dé fe de aquella ceremonia; Valderrábano desenrolla un pergamino que, con el recado de escribir, ha transportado por la selva en una caja de madera, y requiere a todos los nobles, caballeros, hidalgos y hombres de bien «que han asistido al descubrimiento del mar del Sur, llevado a efecto por el ilustrísimo y dignísimo señor capitán Vasco Núñez de Balboa, gobernador de Su Alteza», para que confirmen que «el tal señor Vasco Núñez ha sido el primero, que vio ese mar y lo mostró a sus seguidores».

Descendieron entonces los sesenta y siete hombres de la cumbre, y en este memorable 25 de septiembre de 1513 la Humanidad tuvo noticia de la existencia del último y hasta entonces desconocido océano del mundo.

ORO Y PERLAS

Ya tienen la certidumbre: han visto el mar. Pero ahora hay que bajar hasta su costa, bañarse en sus aguas, gustar y percibir su salobre sabor y arrancar algún botín a sus orillas.

El descenso dura dos días. Para conocer el camino más rápido de la montaña al mar, Núñez de Balboa divide a sus hombres en varios grupos. El tercero de ellos, a las órdenes de Alonso Martín, es el primero en alcanzar la costa, y tan sensibles son a la vanidad de la gloria aquellos simples soldados y aventureros, tan sedientos están de inmortalidad, que incluso este desconocido Alonso Martín hace levantar acta al escribano para dejar constancia de que fue el primero que hundió su pie y su mano en aquellas aguas hasta entonces sin nombre.

Así que se ha apuntado este poco de inmortalidad, hace llegar a Balboa la noticia de que ha alcanzado el mar y tocado las aguas con su propia mano. Balboa se arma al punto para representar su papel con la correspondiente grandeza. El calendario señala para el día siguiente la festividad de San Miguel.

En la mañana de este día aparece en la playa, acompañado de un grupo de sólo veintidós de sus hombres, armado y revestido como el propio San Miguel, para tomar por sí mismo posesión del nuevo mar mediante una solemne ceremonia. No quiere penetrar inmediatamente en sus aguas, sino que decide esperarlas con arrogancia de dueño y señor, descansando tranquilamente bajo un árbol hasta que la creciente marea las hace llegar hasta él y le lamen los pies, cual humilde y sumiso perro.

Se levanta entonces, se echa al hombro el escudo, que brilla al sol como un espejo, y, con la espada en una mano y llevando en la otra la bandera de Castilla con la imagen de la Madre de Dios, se interna en el mar.

Cuando el agua le llega a la cintura, el poco ha rebelde y desesperado Núñez de Balboa, ahora altivo triunfador y fidelísimo servidor de su rey, agita el estandarte real y con gesto triunfal y potente voz grita: «Vivan los altos y poderosos monarcas Fernando y Juana de Castilla, León y Aragón, en cuyo nombre y en pro de la Real Corona de Castilla yo tomo verdadera, corporal y perpetua posesión de todos estos mares, tierras, costas, golfos e islas; y juro que si cualquier príncipe u otro capitán, cristiano o gentil, de cualquier secta o condición, quisiera reivindicar sus derechos sobre estos países y mares, yo los defenderé en nombre de los reyes de Castilla, de cuya propiedad son, ahora y para todos los tiempos, mientras perdure el mundo y hasta el día del Juicio Final.»

Los españoles allí presentes repiten el juramento, y sus palabras dominan por unos instantes el fuerte ruido del oleaje. Todos mojan en el mar sus labios, y el escribano Andrés de Valderrábano levanta también acta de la toma de posesión, cerrando el documento con estas palabras:

«Estos veintidós hombres, al par que el abajo firmante Andrés de Valderrábano, fueron los primeros cristianos que pusieron su planta en el mar del Sur; todos tocaron el agua con sus propias manos y la probaron con sus labios, para cerciorarse de si efectivamente era salada como la del otro mar. Y al comprobar que así era, dieron gracias a Dios.»

La gran hazaña ha sido consumada. Ahora es cosa de sacar temporal provecho de la heroica gesta.

Como botín o a cambio de otras cosas consiguen los españoles algo de oro de los indígenas. Pero aún les aguarda una nueva sorpresa en medio de su triunfo. Y es la de que lo indios les van trayendo a manos llenas preciosas perlas que se dan en las próximas islas en copiosa profusión, y entre las cuales figura una, llamada «La Peregrina», que luego fue cantada por Cervantes y Lope de Vega, por constituir el más bello ornato de la corona real de España e Inglaterra. Los españoles llenan saquitos y bolsillos con aquellas preciosidades, que allí apenas tienen más valor que las conchas o la arena, y cuando, ávidos de encontrar lo que para ellos es lo más importante del mundo, preguntan por el oro, uno de los caciques les señala al Sur, donde la línea de montañas se pierde en el horizonte. «Allí — les explica — hay un país con tesoros imponderables; sus señores comen en recipientes de oro y en sus tierras pastan grandes cuadrúpedos (el cacique se refería a las llamas) que llevan las más preciosas cargas a las cámaras de los reyes.» Y les da el nombre de aquel país que se halla al sur del mar, detrás de las montañas. Es una palabra extraña y melodiosa, algo así como «Birú».

Vasco Núñez de Balboa fija la vista en la lejanía siguiendo la dirección que indica la extendida mano del cacique, allá donde las montañas se esfuminan en el cielo. La dulce y tentadora palabra «Birú» se le ha grabado en el alma; su corazón late aceleradamente... Por segunda vez en su vida recibe noticias que le traen inesperado aliento. El primer relato, el de Comagre, al hablarle del próximo y desconocido mar, se había hecho realidad. Gracias a él ha encontrado la playa de las perlas y el mar del Sur; tal vez ahora logrará también este segundo objetivo, o sea el descubrimiento y la conquista del Imperio inca, la tierra del oro...

Pero rara vez otorgan los dioses...

Vasco Núñez de Balboa permanece con la anhelante mirada puesta en el horizonte. Como una campanita de oro continúa tintineando en su cerebro la palabra «Birú», Perú. Pero, ¡ay!, esta vez no podrá hacer realidad aquellos anhelos; con apenas tres docenas de hombres extenuados no es posible conquistar un imperio. Se impone una renuncia dolorosa. Volverá sobre sus pasos hasta Darién, para emprender el nuevo camino descubierto hacia el buscado Ofir con fuerzas de refresco.

El regreso no es menos penoso... Los españoles han de luchar con las dificultades de la selva y sufrir los ataques de los nativos; y ya no es una tropa aguerrida la que tiene que enfrentarse con estos obstáculos, sino un puñado de hombres enfermos de fiebre que, agotados, avanzan tambaleantes. El mismo Balboa se siente próximo a morir y tiene que ser llevado en una hamaca por los indios como un fardo más. Tras cuatro meses de indecibles angustias, el 19 de febrero de 1514 llegan de nuevo a Darién.

Pero se ha llevado a término una de las más grandes gestas de la Historia.

Balboa ha cumplido su palabra. Todo aquel que se atrevió a ser su compañero de aventura hacia lo desconocido, vuelve lleno de riquezas; los expedicionarios vienen cargados de tesoros traídos de la inasequible costa del mar del Sur. Cada cual tiene su parte, una vez reservado el quinto para la Corona. Y a nadie extraña que el triunfador recompense con quinientos pesos de oro a su perro *Leoncico*, que tiene parte como un guerrero más, pues bien había demostrado su fiereza en las escaramuzas con los nativos.

No hay en la colonia quien discuta ya, tras de su proeza, la autoridad de Balboa como gobernador. El otrora rebelde y aventurero es festejado como un dios y puede enviar orgulloso a España la nueva de que, desde Colón, nadie había ofrecido tamaña empresa a la Corona de Castilla. En súbita ascensión, ha rasgado las nubes que hasta entonces habían impedido que su vida se viera iluminada por el sol de la gloria, y ha llegado al cenit.

Pero el descubridor apenas puede disfrutar de su felicidad.

En un caluroso día de junio, la población de Darien se apretuja, maravillada, en la orilla. Ya es un milagro la aparición en aquel rincón del mundo del velero que divisan en el horizonte; pero es que aparece otro, y luego un tercero, y otros más…, diez…, quince…, veinte…, toda una flota ancla en el muelle. Pronto se tiene la explicación. El mensaje de Núñez de Balboa, pero no el del triunfo, que todavía no había llegado a la partida de esta flota, sino aquel en que daba el primer informe de Comagre sobre el próximo mar del Sur y el País del Oro, y en el cual solicitaba un ejército de mil hombres para conquistar aquellas tierras, era el origen de todo. La Corona española no había dudado en armar tan poderosa escuadra para tan importante expedición, pero ni en Sevilla ni en Barcelona han pensado nunca en ponerla en manos de un aventurero tan mal conceptuado como el rebelde Vasco Núñez de Balboa; envían para ello a todo un gobernador: un hombre rico, noble, de reconocidas prendas, de sesenta años de edad: Pedro Arias Dávila, conocido generalmente por Pedrarias. Su misión es imponer el orden en la colonia, hacer justicia por todos los delitos hasta entonces cometidos, encontrar el mar del Sur y conquistar la prometida tierra del oro.

Mas a su llegada se encuentra en una difícil situación. Por un lado tiene que pedir responsabilidades al levantisco Balboa por su rebeldía contra el antiguo gobernador y que se justifique o, demostrada su culpabilidad, encadenarlo;

pero de otra parte lleva la misión de descubrir el mar del
Sur, y he aquí que este mismo Núñez de Balboa, reclamado
por la justicia, ha llevado ya a término por su propia cuenta
la gran hazaña, ha proporcionado a la Corona española el
mayor servicio desde el descubrimiento de América y ha ce-
lebrado su triunfo. A tal hombre no se le puede, pues, ejecu-
tar como a un vulgar malhechor, antes bien merece un
atento saludo y una sincera felicitación...

Desde aquel punto y hora, Vasco Núñez de Balboa está
perdido. Pedrarias jamás perdonará a su rival que se le haya
adelantado en la misión a él encomendada y que sin duda
le habría asegurado la gloria a través de los tiempos.

Claro que, para no agriar de pronto la alegría de los
colonizadores, ha de ocultar su odio al héroe. No le encausa
de momento e incluso establece arras de paz con Balboa,
prometiéndole en matrimonio a su propia hija, que quedó
en España, pero el odio envidioso de Pedrarias no se suaviza.
De España, adonde llegó la noticia de la gesta de Balboa,
viene una cédula real nombrando adelantado a éste y encar-
gando a Pedrarias que consultara con Balboa toda resolución de importancia. La rivalidad está en pie: es pequeño
aquel reducido mundo para dos gobernadores. Uno y otro
habrán de sucumbir.

Vasco Núñez de Balboa se da cuenta de que sobre él
pende una espada, puesta en manos de Pedrarias, pues suyos
son el poder militar y la justicia. En vista de ello, intenta
por segunda vez, ya que tan bien le salió la primera, una
nueva huida a la inmortalidad, y solicita de Pedrarias permiso para organizar una expedición que le dé ocasión de
explorar la costa del mar del Sur y conquistar nuevas tierras. La oculta intención del antiguo rebelde es, sin embargo,
establecerse, lejos de ningún control, en la otra orilla del
mar, construirse una flota propia, erigirse en dueño de una
provincia y, si fuese posible, conquistar el legendario «Birú»,
el Ofir del nuevo mundo. Y Pedrarias, astutamente, da su
consentimiento, mientras piensa: «Si Balboa sucumbe, tanto
mejor; si triunfa, siempre habrá ocasión de acabar con ese
ambicioso.»

Y así comienza Núñez de Balboa su nueva huida hacia la inmortalidad...

La empresa que ahora emprende es quizá más grandiosa que la ya alcanzada, aunque la Historia, que muchas veces sólo honra los éxitos, no le haya otorgado por ella tanta gloria. En esta ocasión no atraviesa Balboa el istmo sólo con su gente, sino que, utilizando millares de brazos indígenas, envía a través de la cordillera maderas, elementos de construcción, velas, áncoras y cordajes para cuatro bergantines. Piensa que, si dispone de una flota, podrá sojuzgar las costas y conquistar las islas de las perlas y el Perú, el legendario «Birú».

Pero el destino se muestra hosco esta vez con el hombre temerario, poniéndole incesantemente ante mayores obstáculos.

En su marcha por la caliginosa selva, los gusanos han carcomido la madera, que no resiste a la humedad, se pudre y queda inservible. Balboa no se arredra ante esto; manda talar nuevos troncos en el golfo de Panamá y preparar maderos frescos. Su energía realiza verdaderas maravillas; todo parece haber salido bien; ya están construidos los bergantines, los primeros bergantines del océano Pacífico.

Pero se desencadena en los ríos donde están refugiados una inundación de gigantescas proporciones, y los barcos, ya a punto, son arrastrados hacia el mar y estrellados en sus arrecifes. Hay que empezar por tercera vez... Consiguen construir dos nuevos bergantines; sólo dos o tres días más, y Balboa podrá al fin conquistar aquel país con el que ha soñado día y noche desde que la extendida mano del cacique señalara hacia el Sur dejando oír por vez primera la tentadora palabra: «Bi-rú».

Que puedan llegar unos cuantos valientes oficiales, capaces de capitanear una más reforzada dotación, y podrá fundar su imperio. Sólo unos meses más, tan sólo un leve viento de favor para su nueva temeridad, y en la historia del mundo no será celebrada la memoria de Pizarro, sino la de Núñez de Balboa, como el vencedor de los incas.

Pero el destino jamás se muestra demasiado magnánimo

con sus favoritos. Rara vez les es dado a los mortales coronar más de una hazaña inmortal.

El ocaso

Con férrea energía ha preparado Núñez de Balboa su empresa, pero justamente su atrevido albur le aboca a un fatal desenlace. La atenta y suspicaz mirada de Pedrarias observa con inquietud las intenciones de su subordinado. Quizá le han llegado delatoras noticias de la egoísta ambición de Balboa, o acaso es simple y envidioso temor de un nuevo triunfo del antiguo rebelde; lo cierto es que envía una afectuosa carta a Balboa rogándole que tenga a bien acudir a una entrevista en Acla, ciudad próxima a Darien, antes de emprender sus conquistas. Balboa, confiado en recibir más ayuda en hombres por parte de Pedrarias, acepta la invitación y regresa al punto.

Ante las puertas de la ciudad le sale al paso un pequeño grupo de soldados, al parecer dispuestos a darle la bienvenida. Amigablemente se aproxima a ellos, para abrazar a su jefe, Francisco Pizarro, tantos años su compañero de armas y acompañante suyo en el descubrimiento del mar del Sur... Pero Pizarro le pone pesadamente la mano sobre el hombro y le declara preso. (También Pizarro gusta de la inmortalidad, también le placería conquistar el país del oro, y sin duda no debe desagradarle encontrarse el camino desembarazado de un jefe demasiado arrojado y audaz.)

El gobernador Pedrarias incoa el proceso por supuesta rebelión actual, proceso que se amaña injustamente y con celeridad mayor se termina. Días más tarde sube al patíbulo Núñez de Balboa, con los más fieles de sus compañeros; brilla en alto la espada del verdugo y en un segundo se extingue para siempre, al caer rodando, la luz de unos ojos que fueron los primeros de todo el mundo civilizado que tuvieron el privilegio de poder contemplar simultáneamente los dos mayores océanos que bañan nuestro planeta.

LA CONQUISTA DE BIZANCIO

29 DE MAYO DE 1453

EL día 5 de febrero de 1451, un emisario secreto lleva la noticia al hijo mayor del sultán Murad, el joven Mohamed, de veintiún años, que se hallaba en el Asia Menor, de que su padre había muerto. Sin cambiar una sola palabra con sus ministros, sin consultar a sus consejeros, el joven príncipe, a pesar de su abatimiento por la triste nueva, monta sobre uno de sus más briosos corceles y en una sola etapa salva la distancia de doscientos kilómetros que lo separaba del Bósforo y pasa a Gallípoli, en la orilla europea. Revela allí a sus adictos la muerte de su progenitor; luego, a fin de evitar cualquier pretensión al trono, reúne tropas escogidas y las conduce a Adrianópolis, donde sin vacilar es reconocido como jefe del Estado otomano. Desde un principio demuestra ya una cruel energía. Para apartar de sí a cualquier rival de su misma sangre, hace ahogar en un baño a su hermano, que todavía no ha llegado a la mayoría de edad, y en seguida, con astucia salvaje, ordena que ejecuten a su asesino.

La noticia de que en lugar del juicioso sultán Murad se ha erigido en sultán de los turcos el joven, impetuoso y ambicioso Mohamed llena de terror a Bizancio. Se sabe por múltiples espías que el codicioso monarca ha jurado adueñarse de la que a la sazón era la capital del mundo y que, pese a su juventud, ha pasado días y noches entregado a los cálculos estratégicos que han de proporcionarle la consecución de este proyecto de su vida. También ponen de relieve todos los informes las extraordinarias facultades militares y diplomáticas del nuevo padichá Mohamed, a la vez piadoso y brutal, apasionado y reservado. Hombre culto, amante del arte, que lee en latín las obras de César y las biografías de los romanos ilustres, es al propio tiempo un bárbaro que vierte la sangre como agua. Este joven de ojos bellos y melancólicos y ganchuda nariz de papagayo se manifiesta incansable trabajador, arrojado soldado y escrupuloso diplomático. Todas estas fuerzas convergen sobre la misma idea: la de aventajar a su abuelo Bayaceto y a su padre, Murad, que habían mostrado por primera vez a Europa la valía militar de la nueva nación otomana. Se presiente, se sabe que su primera acción será Bizancio, última y preciosa perla que quedaba de las que figuraron en la corona de Constantino y de Justiniano.

Esa perla está a merced de cualquier osada tentativa. El Imperio bizantino, el Imperio romano de Oriente, que antes abarcaba el mundo, desde Persia a los Alpes, y que se extendía hasta los desiertos de Asia, formando un Estado colosal, que apenas podía ser recorrido en varios meses, se ha reducido de tal modo que se puede visitar ahora cómodamente en tres horas de marcha a pie. Por desgracia, de aquel gran Imperio bizantino sólo quedaba una cabeza sin cuerpo, una capital sin reino: Constantinopla, la ciudad de Constantino, la antigua Bizancio, e incluso de esa Bizancio sólo una parte, la actual Estambul, pertenecía al Basileo, mientras que Gálata ya había caído en poder de los genoveses y todas las demás tierras a espaldas de la muralla que circunda la ciudad están en poder de los turcos; reducidísimo es este dominio imperial del último emperador, pues se limita únicamente a un enorme muro circular que rodea iglesias, palacios y el amontonamiento de casas al que se da el nombre de Bizancio. Sometida al pillaje constante, despoblada por la peste, agotada por la defensa contra los pueblos nómadas, diezmada por luchas intestinas, esta ciudad se encuentra impotente para reunir el contingente humano y el arrojo que necesitaría para hacer frente con sus propias fuerzas a un enemigo que hace tiempo viene cercándola y asediándola por todas partes. La púrpura del último césar de Bizancio, de Constantino, ya no tiene esplendor; su corona parece que sea ya juguete de un adverso destino.

Pero justamente por estar ya cercada por los turcos y porque es veneradísima por todo el mundo occidental, merced a la cultura secular que le une a ella, Bizancio representa para Europa un símbolo de su honor. Únicamente si la cristiandad unida ampara este bastión en ruinas del Oriente puede Santa Sofía continuar siendo la Basílica de la Fe, la última y más bella catedral fronteriza del cristianismo en Oriente.

Constantino ve al punto el peligro. A pesar de todos los discursos pacíficos de Mohamed, el césar cristiano, poseído de un santo y justificado temor, envía un emisario tras otro a Italia, al Papa, a Venecia, a Génova, para que manden galeras y soldados. Pero Roma tarda en decidirse y Venecia también, pues hay un abismo teológico entre la fe de Occidente y la de Oriente. La Iglesia griega detesta a la romana, y su patriarca se niega a acatar la supremacía del Papa como Supremo Pastor. Es verdad que, en vista del peligro inminente, en Ferrara y en Florencia se acordó en sendos concilios la unión de las dos Iglesias, asegurando así el auxilio a Bizancio. Pero también es cierto que apenas el peligro dejó de ser tan acuciante para Bizancio, los sínodos griegos se resistieron a que el convenio entrara en vigor, pero tan pronto como Mohamed subió al poder, la necesidad se impuso a la tenacidad ortodoxa, puesto que, junto con la súplica en pro de una ayuda rápida, envió Bizancio su clara manifestación de acatamiento a Roma. Entonces se equipan galeras con soldados y pertrechos; en uno de los barcos va el legado del Papa, para celebrar solemnemente la unión de la Iglesia de Occidente con la de Oriente y poder anunciar al mundo que el que atacare a Bizancio atacaría de hecho a toda la cristiandad unida.

LA MISA DE LA RECONCILIACIÓN

Magnífico espectáculo el que tiene lugar aquel día de diciembre en la maravillosa basílica, cuyo esplendor de otra época en mármoles, mosaicos y deslumbrantes joyas apenas puede adivinarse hoy en la actual mezquita donde se celebra la gran fiesta de la reconciliación. Allí está Constantino rodeado de sus grandes dignatarios, para constituirse, por su imperial corona, en el supremo testigo y fiador de la perpetua armonía entre ambas creencias. La grandiosa nave, que iluminan incontables cirios, está atestada de fieles. Ante el altar celebran fraternalmente la misa el legado del Papa, Isidoro, y el patriarca ortodoxo, Gregorio. Por primera vez en aquella iglesia se menciona en las oraciones el nombre del Papa, y por primera vez también resuenan simultáneamente los salmos en lengua griega y latina en las bóvedas de la imperecedera catedral, mientras el cuerpo de San Espiridión es llevado en procesión solemne por la clerecía de ambas Iglesias. Oriente y Occidente parecen unidos para siempre poniendo fin a la fratricida contienda entre una y otra religión, devolviendo la santa hermandad al mundo europeo y occidental. Después de años y años de feroz lucha, se cumplió el ideal de Europa, el verdadero sentido de Occidente.

Pero, desgraciadamente, los períodos de paz y de buen sentido no acostumbran prolongarse en la Historia. Mientras las voces de la oración se unían santamente en la basílica, fuera, en una celda de un convento, un erudito monje llamado Genadio apostrofa rudamente a los latinos y a los traidores a la verdadera fe.

Apenas ha prevalecido el buen sentido, cuando el fanatismo rasga sacrílegamente los lazos de la concordia fraterna. El clero griego ya no piensa en la sumisión, y al otro lado del Mediterráneo los amigos se olvidan del prometido auxilio. Se envían unas pocas galeras, unos pocos soldados, es verdad, pero luego se deja a la ciudad abandonada a su triste destino.

Los tiranos, cuando preparan una guerra y no están bien armados, hablan mucho de paz. Así, pues, Mohamed, cuando sube al trono, recibe con palabras amistosas y tranquilizadoras a los embajadores de Constantino; promete pública y solemnemente por Dios y sus profetas, por los ángeles y por el Corán, que respetará los tratados establecidos con el Basileo. Pero al mismo tiempo firma secretamente un tratado de neutralidad bilateral por tres años con húngaros y servios, justamente los tres años dentro de cuyo plazo piensa apoderarse de la ciudad sin estorbos de ninguna clase. Hasta después que ha prometido y asegurado el mantenimiento de la paz no conculca el derecho a ella, iniciando la guerra.

Hasta entonces, los turcos sólo poseían la orilla asiática del Bósforo, y así los buques podían pasar tranquilamente de Bizancio por el estrecho hasta el mar Negro, para abastecerse de cereales. Pero este paso lo dificulta Mohamed, puesto que sin preocuparse de justificarlo manda construir una fortaleza en la orilla europea, en Rumili Hissar, precisamente en aquel lugar donde, en tiempos de los persas, el atrevido Jerjes atravesó el Helesponto. Por la noche pasan miles y miles de peones a la orilla europea, que según los tratados no debería ser fortificada (pero ¿qué caso hacen los tiranos de los tratados?), y asuelan los campos circundantes, dedicándose a demoler no solamente las viviendas, sino también la antiquísima y celebérrima iglesia de San Miguel, a fin de proporcionarse piedras para su fortaleza. El Sultán dirige personalmente, día y noche, la construcción, y los bizantinos contemplan asombrados como les interceptan el paso hacia el mar Negro, contra todo derecho e infringiendo lo convenido.

Los primeros barcos que quieren cruzar aquel mar, hasta entonces libre, son atacados desde la fortaleza, a pesar de la paz oficial reinante, de modo que después de este alarde de poder tan rotundo cualquier disimulo ya resulta superfluo.

En agosto de 1452 reúne Mohamed a todos sus agaes y bajaes y les declara abiertamente sus intenciones de atacar y conquistar Bizancio. Muy pronto el intento se convierte en realidad brutal; se envían heraldos por el ámbito del Imperio turco llamando a todos los hombres capaces de empuñar las armas, y el 5 de abril de 1453 irrumpe, cual terrible huracán, un considerable ejército otomano en la llanura de Bizancio, el cual llega casi hasta las mismas murallas de la ciudad.

A la cabeza de sus tropas, ricamente ataviado, cabalga el Sultán, dispuesto a plantar su tienda frente a la Puerta de Lyka. Antes de desplegar sus banderas y estandartes al viento manda extender el sagrado tapiz de la oración y, tras de pisarlo con los pies descalzos, se inclina hasta tocar el suelo con la frente. Detrás de él — ¡oh espectáculo maravilloso! —, los millares de hombres de su ejército, todos en igual dirección y al mismo ritmo, ofrecen su oración a Alá, suplicándole les dé valor y les conceda la victoria. Levantóse entonces el Sultán. El humilde se ha vuelto arrogante, el servidor de Dios se convierte en señor y en soldado, y los *tellals*, los heraldos oficiales, recorren el campamento para proclamar solemnemente, entre percutir de tambores y sonar de trompetas, que ha comenzado ya el sitio de Bizancio.

MURALLAS Y CAÑONES

A Bizancio sólo le queda un poder y una fuerza: sus murallas. Ya no existe nada de su glorioso pasado, como no sea esta herencia de tiempos más prósperos y felices. La ciudad está protegida por una fortificación triangular. Más abajo, las murallas de piedra cubren la defensa de los flancos frente al mar de Mármara y el Cuerno de Oro.

Grandes extensiones ocupa la fortificación que mira hacia el campo abierto, la llamada muralla de Teodosio. Ya con antelación había mandado Constantino rodear la ciudad con grandes piedras cuadradas, y Justiniano las había extendido y fortificado. Pero el bastión propiamente dicho era obra de Teodosio, con la muralla de siete kilómetros de extensión, de cuya pétrea fuerza todavía dan fe las ruinas cubiertas de hiedra que hoy subsisten. Guarnecida con troneras y almenas, protegida por fosos de agua, por torres cuadrangulares, en líneas paralelas dobles y triples, completada y renovada por varios emperadores durante un milenio, esta fortificación es considerada como el más perfecto ejemplo de inexpugnables baluartes de su tiempo. Parece como si, al igual que sucedió cuando la invasión de los bárbaros y luego la de los turcos, las piedras de aquella famosa muralla pudieran resistir ahora impasibles a los nuevos métodos de guerra. Nada pueden contra aquella muralla los arietes ni las cerbatanas y morteros, pues sigue en pie pese a todos los asaltos. Ninguna otra ciudad de Europa se yergue más firme y protegida que Constantinopla, al abrigo de la muralla de Teodosio.

Nadie mejor que Mohamed conoce estas fortificaciones y su resistencia. En sus noches en vela, incluso en sueños, piensa durante meses y años cómo podrá asaltarla, cómo destruirá lo indestructible. Se acumulan mapas y medidas sobre su mesa, mostrando los puntos débiles de las fortificaciones enemigas. El Sultán conoce cada una de las elevaciones del terreno frente y tras de los muros, cada depresión, cada conducto de agua que los atraviesa, y sus ingenieros han estudiado con él todas sus particularidades. Pero, ¡oh decepción!, todos convienen en que, con los cañones empleados hasta entonces, la muralla de Teodosio es invulnerable.

¡Pues hay que fabricar cañones más potentes! ¡Deben ser de más alcance, de más potencia que los que jamás conoció el arte de la guerra! ¡Y se precisan otros proyectiles, de piedra más dura, más pesados, que sean más destructores que cuantos se han empleado hasta entonces! Hay que inventar una nueva artillería que permita acercarse a aquellas murallas inviolables. No hay otra solución, y Mohamed está dispuesto a procurarse esos nuevos medios de ataque a cualquier precio.

Y «a cualquier precio» significa que se está dispuesto a

todo, que el entusiasmo cunda, que la cooperación se presente. Así, poco después de la declaración de guerra se presenta ante el Sultán el hombre que es considerado como el fundidor de cañones con más iniciativa y más experiencia del mundo. Trátase de Urbas u Orbas, un húngaro que, aunque cristiano y a pesar de haber ofrecido antes sus servicios a Constantino, espera ahora verse mejor retribuido a las órdenes de Mohamed y que se le confíen misiones más trascendentales. Manifiesta que está dispuesto a fundir el cañón más grande que ha existido en el mundo, mientras le proporcionen los medios ilimitados que precisa para tamaña empresa. El Sultán, que, como todo aquel que está poseído por una idea fija, estima que ningún precio es demasiado elevado para la consecución de su deseo, le facilita los obreros necesarios para empezar a trabajar inmediatamente, y en miles de carros hace transportar a Adrianópolis el mineral de hierro necesario para la empresa: durante tres meses, el fundidor se dedica a preparar con infinitos esfuerzos el molde de arcilla ajustado a ciertos secretos métodos de endurecimiento, como preliminar al riego de la candente masa. El éxito es completo. Sale del molde y se enfría aquel cañón gigantesco, de tamaño desconocido hasta entonces. Antes del primer disparo de prueba, Mohamed manda pregonar el hecho por toda la ciudad, para que las mujeres encinta no se asusten del estruendo. Y cuando con un estrépito infernal sale de la boca de aquel monstruo la poderosa bola de piedra, que logra derribar un muro de un solo disparo, Mohamed ordena que se fabrique de aquel gigantesco tamaño toda la artillería.

Aquella primera máquina «lanzapiedras», como la llamarán después los griegos, horrorizados, hubiera empezado ya su cruel misión, pero surgió un problema: ¿cómo transportar aquel dragón de bronce por toda la Tracia hasta las murallas de Bizancio? Entonces comenzó una odisea sin par. Todo un pueblo, un ejército entero se dedica a remolcar aquel enorme y rígido monstruo durante dos meses. Va delante la caballería, distribuida en patrullas para proteger aquel tesoro de cualquier ataque. Siguen luego centenares y millares de peones, que avanzan día y noche con la misión de allanar las desigualdades del terreno, para facilitar aquel terrible transporte, que deja tras de sí los caminos intransitables durante meses. Cincuenta pares de bueyes arrastran una barrera de carros, sobre cuyos ejes descansa el colosal cañón con peso equilibrado, como cuando se llevó el famoso obelisco de Egipto a Roma; doscientos hombres mantienen el equilibrio de aquel demonio metálico que oscila a derecha e izquierda, mientras cincuenta carreteros y carpinteros cuidan sin cesar de cambiar las ruedas de madera y engrasar los ejes, de reforzar los puntales, de tender puentes. Es muy comprensible que la impresionante caravana avance paso a paso, cual lento rebaño de búfalos, para abrirse camino por montes y estepas. Maravilladas contemplan la comitiva las gentes de pueblos y aldeas y se pasman ante aquel monstruo de hierro que, como si fuera un dios de la guerra, va marchando asistido por sus sacerdotes y sus sirvientes.

No tardan mucho en seguir el mismo camino otros cañones salidos del mismo molde, que, cual madre fecunda, da a luz a aquellos hijos del diablo. Otra vez pudo la humana voluntad hacer posible lo imposible. Muy pronto abren sus redondas bocas veinte o treinta cañones más ante Bizancio. Ha hecho su aparición la artillería pesada en la historia de la guerra, y empieza el duelo terrible entre las milenarias murallas de los césares orientales y los nuevos cañones del joven sultán.

Renace la esperanza

Lenta pero tenazmente, los colosales cañones de Mohamed van destruyendo las murallas de Bizancio. Al principio sólo pueden efectuar cada uno de ellos seis o siete disparos al día, pero a diario el Sultán introduce nuevas unidades en sus baterías, que entre nubes de polvo y cascotes abren nuevas brechas en el castigado baluarte. Es verdad que por las noches los pobres sitiados van tapando aquellos huecos como pueden, pero ya no combaten seguros tras la antigua e inexpugnable muralla que ahora se viene abajo. Los ocho mil parapetados allí piensan con horror en el momento decisivo en que los ciento cincuenta mil hombres de Mohamed se lancen al ataque final sobre la ya debilitada fortificación. Ya es tiempo de que la cristianísima Europa se acuerde de cumplir su promesa. Infinidad de mujeres con sus hijos se pasan el día entero orando en las iglesias. Desde las torres, los soldados observan día y noche la lejanía, por si aparece al fin el refuerzo de la flota papal o la veneciana en el mar de Mármara.

Por fin, el 20 de abril, a las tres de la madrugada, perciben un signo luminoso. A lo lejos distinguen un navío. No se trata de la anhelada, de la poderosa flota cristiana, pero siempre es un alivio; lentamente, impulsados por el viento, avanzan tres grandes bajeles genoveses, y luego otro más pequeño, un transporte bizantino, que trae cereales y va protegido por los otros tres. Congrégase inmediatamente toda Constantinopla, entusiasmada, cerca de las murallas de la orilla, para saludar a los salvadores de la patria. Pero, al mismo tiempo, Mohamed se lanza a galope desde su purpúrea tienda en dirección al puerto, donde está a punto la flota turca, a la que ordena que a toda costa se evite la entrada de las naves en el puerto de Bizancio y en el Cuerno de Oro.

Son ciento cincuenta barcos, menores, es verdad, que hunden al instante sus remos en el agua. Armadas con hierros de amarre, botafuegos y catapultas, aquellas ciento cincuenta embarcaciones se lanzan hacia las cuatro galeras cristianas, pero éstas, fuertemente impulsadas por el favorable viento, escapan fácilmente de sus fanáticos perseguidores, que, entre un griterío ensordecedor, pretenden en vano alcanzarlas con sus descargas. Majestuosamente, con las velas hinchadas, los barcos cristianos, sin preocuparse de sus atacantes, se dirigen hacia el Cuerno de Oro, puerto que les ofrece segura y duradera protección gracias a la famosa cadena tendida desde Gálata a Estambul. Las cuatro galeras están muy cerca de la meta; las gentes congregadas en las murallas pueden distinguir ya los rostros de los tripulantes; aquellos millares de seres, mujeres y hombres, se arrodillan emocionados para dar gracias a Dios y a los santos por la providencial y feliz llegada de sus salvadores.

Pero de pronto ocurre algo terrible. El viento cesa súbita e inesperadamente, y los galeones quedan inmóviles en medio del mar, como retenidos por un imán a poca distancia del seguro refugio del puerto. Entre salvajes gritos de júbilo, el enjambre de lanchas enemigas acomete a los inmovilizados barcos cristianos. Como fieras que se precipitan sobre la presa, los ocupantes de las pequeñas embarcaciones hunden los garfios de abordaje en los flancos de madera de las grandes naves, golpeándolas fuertemente con las hachas para hacerlas zozobrar, trepando por las cadenas de las anclas con refuerzos constantemente renovados, a fin de lanzar antorchas encendidas contra las velas con propósito de incendiarlas. El capitán de la flota turca aborda con su propio barco el transporte genovés, pretendiendo pasarlo por ojo. Ambas naves se entrecruzan como dos potentes luchadores. Verdad es que desde sus elevadas bordas y protegidos por sus blindados parapetos, los marineros genoveses pueden resistir de momento a los asaltantes, e incluso repelerlos con hachas y piedras, pero la lucha es demasiado desigual. ¡Los barcos genoveses están perdidos!

¡Horrible espectáculo para los millares de sitiados que están contemplándolo desde la muralla! Tan de cerca como suele colocarse el pueblo para presenciar los feroces combates en el circo, asiste ahora con indecible angustia a una batalla naval que al parecer ha de acabar con la inevitable derrota de los suyos. A lo sumo, dos horas más, y las cuatro embarcaciones cristianas sucumbirán a la furiosa acometida en el grandioso circo del mar.

Los desconcertados griegos, reunidos en los muros de Constantinopla, a tan poca distancia de sus hermanos, crispan los puños y gritan imprecaciones en su impotente ira por no poder ayudar a sus salvadores. Muchos intentan animar a sus heroicos amigos con feroces gestos. Otros, por su parte, invocan a Dios y a los santos de sus respectivas igle-

sias, que durante siglos protegieron a Bizancio, impetrando
que se haga un milagro. Pero en la orilla opuesta, en Gálata,
también gritan y oran con igual fervor los turcos, que esperan asimismo el triunfo de los suyos; el mar se ha convertido en una palestra; la batalla naval es una especie de encuentro entre gladiadores. El mismo Sultán acude al galope.
Acompañado de sus bajaes, se mete en el agua, mojándose
sus vestiduras. Haciendo portavoz de sus manos, arenga a
su gente para que alcancen la victoria a toda costa. Cada vez
que alguna de sus galeras retrocede, amenaza a su almirante
esgrimiendo su cimitarra: «¡Si no triunfas, no volverás con
vida!»

Las cuatro naves cristianas resisten todavía. Pero la lucha
toca a su fin. Van acabándose los proyectiles con los que
han venido rechazando a las embarcaciones turcas. Los marineros están agotados tras una contienda que dura varias
horas contra un enemigo cincuenta veces mayor en número.
Declina el día. El sol se hunde en el horizonte. Una hora más,
y los barcos se verán arrastrados por la corriente hacia la
orilla ocupada por los otomanos, más allá de Gálata, aun
en el caso de que consigan evitar hasta entonces el abordaje. ¡Están perdidos, irremisiblemente perdidos!

Pero entonces ocurre algo que a los ojos de la angustiada
multitud de Bizancio aparece como un milagro. Se oye de
pronto un leve rumor que súbitamente aumenta... Es el
viento, el anhelado viento salvador que hincha de nuevo en
toda su plenitud las velas de las naves cristianas. Se levantan triunfantes sus proas y en arrollador ímpetu se libran
del acoso de sus enemigos, tomándoles una ventajosa delantera. ¡Están libres, salvados! Entre el jubiloso clamor de
los millares de espectadores que se encuentran en las murallas van penetrando los perseguidos galeones, uno detrás de
otro, en el seguro puerto. Rechina de nuevo la cadena al remontarse para cerrarlo y queda disperso por el mar, impotente, el enjambre de pequeñas embarcaciones turcas.

Una vez más, la alegría de la esperanza se cierne como
una rosada nube sobre la ensombrecida y desamparada
ciudad.

Paso de la flota por la montaña

El extraordinario júbilo de los sitiados dura toda la noche. La noche suele exaltar la fantasía con el dulce veneno de los sueños. Aquellas gentes, por el espacio de una noche, se creen seguras y a salvo. En sus optimistas fantasías imaginan que si las cuatro embarcaciones han logrado alcanzar el puerto con tropas y provisiones, semana tras semana irán llegando más refuerzos. Europa no los ha abandonado. Y ven ya levantado el cerco, y, al enemigo, desconcertado y vencido.

Pero también Mohamed es un soñador, pero un soñador que pertenece a esa otra especie mucho más rara de quienes saben transformar, gracias a la voluntad, los sueños en realidades, y mientras los galeones se sienten seguros en el puerto del Cuerno de Oro, proyecta un plan extremadamente temerario que merece parangonarse con las hazañas bélicas de Aníbal y Napoleón. Ante él aparece Bizancio como fruta sabrosa que no puede alcanzar. El impedimento principal está representado por aquella lengua de tierra, aquel Cuerno de Oro, aquella bahía que guarda el flanco de Constantinopla. Es prácticamente imposible llegar a ella, puesto que le estorba el paso la ciudad genovesa de Gálata, que obliga a Mohamed al mantenimiento de su neutralidad, y desde ella a la ciudad sitiada se tiende una cadena de hierro que cierra la entrada del golfo. De frente no puede atacarla con la flota; sólo desde cierta ensenada interior, donde termina la posesión genovesa, podría dominarse la flota cristiana. Pero ¿cómo disponer de una flota en esa bahía interior? Claro está que se podría construir una, pero ello requeriría meses de trabajo. El impaciente Sultán no puede esperar tanto.

Entonces el gran Mohamed concibe un plan genial, que consiste en hacer pasar la flota desde donde se halla, por la lengua de tierra, hasta la bahía interior del Cuerno de Oro. Este audacísimo proyecto de atravesar un istmo montañoso con cientos de embarcaciones parece a simple vista algo tan absurdo, tan irrealizable, que ni los bizantinos ni los genoveses de Gálata lo incluyen en sus cálculos estratégicos, como tampoco pudieron concebir los romanos, y más tarde los austríacos, la posibilidad del paso de los Alpes por Aníbal y por Napoleón.

Las enseñanzas de la experiencia humana establecen que los barcos sólo pueden avanzar por el agua, y nunca se ha visto que una flota cruce una montaña. Pero el genio militar está caracterizado por aquel que en tiempo de guerra desdeña todas las reglas bélicas conocidas, sustituyéndolas en un momento dado por la creadora improvisación. Llega el momento culminante de una acción inesperada e incomparable. Silenciosamente, Mohamed manda fabricar rodillos de madera que hombres expertos convierten en grandes trineos, donde, cual diques secos terrestres, se colocan los barcos. Al mismo tiempo, millares de peones ponen manos a la obra para allanar el paso del camino que pasa por la colina de Pera y facilitar el transporte de las naves. Para ocultar la presencia de tantos hombres empleados en la obra, el Sultán ordena que día y noche los morteros disparen cañonazos que, salvando la neutral ciudad de Gálata, siembren el terror en la sitiada, lo cual no tiene otro objeto sino distraer la atención para que puedan pasar las embarcaciones por montes y valles. Mientras los griegos esperan un ataque por tierra, las ruedas de madera, bien engrasadas, se ponen en marcha y, tirados por innumerables yuntas de búfalos y con el auxilio de los marineros, los barcos van atravesando, uno tras otro, la montaña. Apenas la noche impide con su manto cualquier mirada indiscreta, empieza la maravillosa expedición. Silenciosamente, aquel ardid fruto de una mente genial se lleva a término; se realiza el prodigio de los prodigios: toda una flota atraviesa la montaña.

Lo que decide las acciones militares es la sorpresa. Y ahí se manifiesta el gran genio y la preclara inteligencia de Mohamed. Nadie barrunta lo que va a suceder. Ya dijo de sí el Sultán: «Si un pelo de mi barba se enterara de mis pensamientos, me lo arrancaría.» Y mientras las cañones retumban potentes cerca de los muros de la sitiada ciudad, sus órdenes se cumplen al pie de la letra.

Aquella noche del 22 de abril, setenta barcos son transportados de un mar a otro salvando montes, valles, viñedos, campos y bosques. A la mañana siguiente, los moradores de Bizancio creen estar soñando: una flota enemiga, como conducida por manos de espíritus, despliega sus velas, con evidente ostentación de hombres y gallardetes, en el mismísimo corazón de la inaccesible ensenada interior. Todos se frotan los ojos sin comprender cómo ha podido ocurrir semejante prodigio, pero las trompetas y atabales resuenan inmediatamente debajo del muro que hasta entonces quedaba protegido por el puerto; todo el Cuerno de Oro, a excepción de aquel estrecho territorio de Gálata, donde se halla embotellada la flota cristiana, está ya en poder del Sultán y de su ejército, gracias a aquel genial golpe de audacia. Sin que nadie se lo impida, Mohamed puede ahora conducir sus tropas desde sus pontones contra la más débil de sus murallas. Así queda amenazado el flanco más vulnerable y aclaradas las filas de los defensores apostados en el resto de la fortificación, harto deficientes ya. El puño de hierro va apretando con mayor fuerza cada vez la garganta de su víctima.

¡EUROPA, AYÚDANOS!

Los sitiados ya no se hacen ilusiones. Conocen su situación; ahora que están también acosados por el flanco abierto, no van a poder seguir resistiendo los ocho mil defensores contra los ciento cincuenta mil atacantes, detrás de las murallas casi destruidas, si no llega pronto auxilio. Pero ¿no había ofrecido la Señoría de Venecia mandar barcos? ¿Y el Papa puede permanecer indiferente ante el peligro de que Hagia Sophia, la monumental basílica de Occidente, se convierta en mezquita? ¿No comprende Europa, sumida en rencillas y discordias, lo que ello representa para la cultura de Occidente? Los sitiados piensan que quizá por ignorar lo que realmente está ocurriendo, la flota salvadora titubea aún en zarpar y que bastaría que se les informara sobre la tremenda responsabilidad de su indecisión para que se hiciesen a la mar en seguida.

Pero ¿cómo hacerlo? El mar de Mármara está sembrado de barcos turcos. Poner en juego toda la flota para salir a él sería correr el albur de un aniquilamiento, y sobre todo restaría a los defensores, para quienes cada hombre de por sí cuenta ya mucho, unos cuantos cientos de soldados. Por lo cual se acuerda por fin equipar un barco con una exigua tripulación y lanzarlo a la aventura. Doce hombres en total se arriesgan para la heroica hazaña, y si la Historia fuese justa, sus nombres tendrían que ser tan famosos como los de aquellos argonautas de Jasón, pero, ¡ay!, ignoramos los nombres de esos héroes. Tras izar la bandera enemiga en aquel insignificante bergantín, los doce hombres se visten como turcos y se cubren con turbante, o fez, para no llamar la atención. El 3 de mayo, sin ruido, quedamente, abren el cerco de hierro y, lenta y silenciosamente, protegidos por la oscuridad de la noche, los remos hienden el peligroso mar. Las audaces acciones individuales son el punto débil de todo plan bien tramado. En todo pensó Mohamed, pero jamás en la inimaginable temeridad de que un solo barco osara realizar con doce héroes esta réplica del viaje de los argonautas, a través de su flota.

Pero, ¡oh trágica decepción!, en el mar Egeo no se ve ni una sola vela veneciana. No hay flota alguna que venga en su socorro. Venecia y el Papa han olvidado a Bizancio. Siempre se suceden en la Historia estos momentos trágicos en que, cuando sería más necesario que se agruparan todas las fuerzas para proteger a la cultura europea, los príncipes y los Estados no saben suspender sus luchas y querellas. Génova considera más importante disputar a Venecia la hegemonía de los mares, y Venecia, a su vez, sólo piensa en dejar atrás a Génova. Se entretienen en ello, en lugar de luchar unidas contra el enemigo común. No se ve nave alguna en el mar. Aquel puñado de valientes va navegando en su cascarón de nuez de isla en isla, mientras la desesperación hace presa en ellos. Pero todos los puertos están ya

ocupados por el enemigo y ningún barco cristiano se atreve
a entrar en la zona de guerra.

¿Qué hacer? Algunos hombres sienten un justo desánimo. ¿Para qué volver a Constantinopla? ¿Para qué realizar de nuevo el peligroso viaje? No van a poder llevar a los
sitiados esperanza alguna. Quizá ya cayó la ciudad, quizá
si regresan les aguarda el cautiverio o la muerte. Sin embargo, la mayoría de aquellos héroes anónimos acuerda volver.
Se les encomendó una misión y tienen que cumplirla a toda
costa. Y aquella navecilla osa otra vez pasar por los Dar-
danelos, por el mar de Mármara, entre la flota enemiga.
El 23 de mayo, veinte días después de la partida, cuando
en Constantinopla ya se considera perdida la frágil embarcación y nadie piensa ya en el mensaje ni en el regreso de
los tripulantes, dos vigías agitan las banderas desde las murallas, pues, remando con inusitado vigor, una embarcación
se acerca al Cuerno de Oro. Entonces es cuando los turcos
se enteran, por la jubilosa algazara de los sitiados, de que
aquel bergantín, que con gran descaro ha tenido el atre-
vimiento de pasar, enarbolando bandera turca, por las aguas
que ellos dominan, es en realidad una embarcación enemiga. Acuden entonces con sus propias embarcaciones de
todas partes, para detenerle antes de que arribe al puerto
salvador. Hay un momento en que Bizancio expresa esten-
tóreamente su júbilo con la esperanza de que Europa se ha
acordado de ellos y de que la valiente navecilla era un he-
raldo de tan fausta nueva. Pero al llegar la noche, la triste
verdad es del dominio público: la cristiandad ha abandonado a Bizancio; los sitiados están solos, e irremisiblemente
perdidos, si no se salvan por sus propias fuerzas.

LA NOCHE ANTERIOR AL ASALTO

Después de seis semanas aproximadamente de lucha constante, el Sultán está impaciente. Sus cañones han destruido
las murallas en muchos puntos, pero los ataques que varias
veces ha ordenado han sido hasta ahora sangrientamente

rechazados. Para un general sólo quedan dos caminos: o bien levantar el cerco o, después de ataques aislados, realizar el gran asalto final. Mohamed reúne a sus bajaes en consejo de guerra, y su apasionada voluntad se impone a todas las dudas y consideraciones. Se acuerda la fecha del 29 de mayo para el gran asalto decisivo. El soberano se apresta a tomar sus últimas medidas. Se decreta un día de fiesta, en el que ciento cincuenta mil hombres, desde el primero al último, tienen que cumplir con todos los usos prescritos por el Islam; las siete abluciones y las tres oraciones diarias. Lo que queda de pólvora y proyectiles se destina para la artillería, que machacará la ciudad para el asalto final, y se reparten las tropas para ello. Mohamed no descansa de día ni de noche. Desde el Cuerno de Oro hasta el mar de Mármara, recorre a caballo el colosal campamento, animando a los jefes y enardeciendo a los soldados. Como buen psicólogo, conoce muy bien la manera de estimular hasta el grado máximo la acometividad de sus guerreros. Por eso les hace una horrible promesa, que luego cumplió acabadamente, sea dicho en su honor y descrédito a la vez. Promesa que lanzan sus heraldos a los cuatro vientos: Mohamed jura en nombre de Alá, de Mahoma y de los cuatro mil profetas; por el alma de su padre, el sultán Murad; por las cabezas de sus hijos y por su cimitarra, que sus tropas, después del asalto a la ciudad, tendrán derecho durante tres días al saqueo y al pillaje ilimitado. Todo cuanto se encierra tras aquellas murallas: mobiliario y bienes, joyas y objetos de valor, monedas y tesoros, hombres, mujeres y niños, pertenecerá a los victoriosos soldados, pues él renuncia a cualquier participación en el botín, a excepción del honor de haber conquistado aquel último baluarte del Imperio romano de Oriente.

Con gran alborozo escuchan los soldados esta vil proclama. Con estrepitoso júbilo resuena por doquier el grito «Alá-il Alá!» entre los miles de combatientes que se hallan congregados ante la atemorizada ciudad. «Jagma, jagma!» (¡Pillaje, pillaje!). Esta palabra pasa a ser el grito de combate, que resuena entre trompetas, címbalos y tambores. Por la noche, el campamento se convierte en un mar de luces. Amedrentados, los sitiados contemplan desde sus murallas cómo miríadas de luces y antorchas brillan en la llanura y en las colinas, y cómo los enemigos celebran ya la victoria antes de conseguirla, con trompetas, tambores, silbatos y panderetas. Es como la ruidosa y cruel ceremonia de los sacerdotes paganos antes del sacrificio. Y luego, súbitamente, a medianoche, por orden de Mohamed, se apagan de una vez todas las luces y cesa bruscamente el atronador griterío de aquellos millares de voces. Pero, ¡ay!, aquel silencio y oscuridad repentinos pesan más dolorosamente en el ánimo de los cristianos que todas las anteriores explosiones de entusiasmo.

LA ÚLTIMA MISA EN SANTA SOFÍA

Los sitiados no necesitan recibir ningún mensaje para enterarse de lo que va a acontecer. Saben muy bien que el ataque está ordenado y presiente la gran prueba y el terrible peligro que se cierne sobre ellos como nube anunciadora de una borrasca. La población, que antes estaba desunida y en lucha religiosa, se une ahora en estas últimas horas; la extrema necesidad es siempre la que depara el incomparable espectáculo de la unidad en esta tierra. A fin de que todos estén dispuestos a defender lo que les obligan la fe, el glorioso pasado, la cultura común, dispone el Basileo que se celebre una conmovedora ceremonia religiosa. Por orden suya se congregan católicos y ortodoxos, sacerdotes y seglares, niños y ancianos, en una única procesión. Nadie debe ni quiere quedarse en casa. Ricos y pobres, cantando el *Kyrie eleison*, forman en el solemne cortejo, que recorre primero el recinto interior de la ciudad y luego efectúa también el circuito de las murallas exteriores. Se sacan de las iglesias las sagradas imágenes y reliquias para encabezar el desfile. En las brechas que el enemigo ha abierto en la muralla se cuelgan cuadros de santos, con la esperanza de que logren, mejor que cualquier arma terrenal, que fracase el esperado asalto de los infieles. Al mismo tiempo reúne el emperador Constantino a los senadores, nobles y oficiales de elevada jerarquía, para alertarlos con una última alocución. Claro está que no puede, como hizo Mohamed, prometerles un ilimitado botín. Pero sí glosa el honor que les corresponderá a ellos, a toda la cristiandad y al mundo occidental si logran resistir este ataque decisivo y el peligro que supone si sucumben ante los asesinos e incendiarios. Ambos, Mohamed y Constantino, saben que este día decidirá la historia de los siglos futuros.

Empieza entonces la última escena, una de las más conmovedoras de Europa, un inolvidable éxtasis del ocaso. En Santa Sofía, que es, aun entonces, la más soberbia de las catedrales del mundo y que desde el día en que tuvo lugar la unión de ambas Iglesias se ha visto abandonada por los seguidores de una y otra creencia, se reúnen ahora los que parecen destinados a morir.

Rodean al emperador toda la Corte, la nobleza, el clero griego y romano, soldados y marinos genoveses y venecianos vestidos y armados para el combate; tras ellos se arrodillan en reverente silencio miles y miles de devotos, sombras que murmuran sus oraciones: es el doblegado y maltrecho pueblo, presa del miedo y la preocupación. Las luces de los cirios, que luchan por rasgar las densas tinieblas de las bajas arcadas, iluminan aquella masa de fieles postrados en oración como un solo cuerpo. Es el alma de Bizancio la que eleva allí sus preces a Dios. El patriarca levanta la voz, solemne e impresionante. Cantando, le contesta el coro. Una vez más resuena la sagrada y eterna voz del Occidente, su mística música, en la grandiosa nave. Luego, uno tras otro, yendo en cabeza el Emperador, van acercándose al altar para recibir la Sagrada Eucaristía, el consuelo de la fe, mientras llenan los ámbitos del templo el emocionado rumoreo de las plegarias. Ha empezado la última misa, más bien el funeral del Imperio romano de Oriente, pues por última vez se celebran los ritos cristianos en la catedral de Justiniano.

Después de esta conmovedora ceremonia regresa por breve tiempo el Emperador a su palacio, con el propósito de pedir perdón a sus súbditos y servidores por todas las injusticias que contra ellos hubiera cometido. Luego monta a caballo y cabalga — como hace a la misma hora Mohamed, su gran adversario — de un extremo a otro de las murallas, para arengar a sus soldados. La noche está muy avanzada. No se oye voz alguna ni se percibe el chocar de las armas. Con el alma en tensión esperan los millares de sitiados en las murallas a que llegue el día y con él la muerte.

KERKAPORTA, LA PUERTA OLVIDADA

A la una de la madrugada, el Sultán da la señal para comenzar el ataque. Agitando los estandartes y al grito de «¡Alá!», repetido por tres veces, cien mil hombres se lanzan con armas, escalas de cuerda y garfios contra las murallas, mientras suenan simultáneamente charangas, címbalos y atabales, mezclando sus estridentes sones al terrible griterío de los combatientes y al tronar de los cañones. Despiadadamente son lanzadas de momento contra los muros las tropas bisoñas, los *bachibozucos*, cuyos cuerpos semidesnudos, según los planes del Sultán, han de servir, hasta cierto punto, de víctimas propiciatorias, sin otro objeto que el de cansar y debilitar las fuerzas del enemigo antes de que las tropas escogidas entren en acción para el asalto definitivo. Con centenares de escalas corren en la oscuridad estos soldados adelantados, suben por las almenas, caen rechazados por la heroica defensa de los sitiados, pero vuelven a subir una y otra vez, pues saben que les está cortada la retirada: tras ellos, que sólo son deleznable material humano destinado al sacrificio, van las tropas escogidas, encargadas de empujarlos hacia una muerte casi segura. Los sitiados siguen todavía resistiendo, pues las incontables flechas y piedras no penetran en sus cotas de malla. Pero el verdadero peligro — Mohamed lo ha calculado bien — está en el cansancio. Forzados a combatir con su pesado armamento contra las cada vez más agobiantes tropas ligeras, que saltan continuamente de un punto de ataque a otro, consumen en forma agotadora buena parte de sus fuerzas. Y cuando, al cabo de dos horas de lucha, empieza a apuntar el alba y entran en liza los anatolios, la batalla resulta más peligrosa aún para los cristianos. Estos anatolios son guerreros disciplinados, bien adiestrados, provistos también de cotas de malla, pero, sobre todo, lo importante es que son superiores en número y que están completamente descansados, mientras los defensores tienen que atender ora a un lugar, ora a otro, para protegerlo contra los asaltantes. Sin embargo, los turcos son repelidos, de tal manera, que el Sultán tiene que echar mano de sus últimas reservas, los jenízaros, la flor y nata de sus tropas, lo más escogido del ejército otomano. Se pone en persona a la cabeza de estos doce mil jóvenes y aguerridos soldados, los mejores que Europa conoce a la sazón, y prorrumpiendo en un solo grito se lanzan contra los exhaustos adversarios. Es más que hora de que suenen todas las campanas de la ciudad llamando a los últimos hombres útiles y semiútiles para que acudan a las murallas, y de que los marinos salgan de sus barcos, pues ahora sí que se ha entablado la batalla decisiva. Con desesperación de los defensores, una piedra lanzada con honda hiere gravemente al caudillo de las tropas genovesas, el arrojado condotiero Giustiniani, que tiene que ser transportado a un barco. Aquella desgracia hace que se tambalee momentáneamente la energía combativa de los defensores. Pero entonces aparece el Emperador, que trata de evitar que el enemigo penetre en la ciudad. Y otra vez consiguen hacerle retroceder. La decisión se enfrenta a la desesperación, y durante un instante aún parece que Bizancio se va a salvar; la más extrema desesperación ha conseguido repeler el más feroz de los ataques. Pero entonces acontece una trágica casualidad, uno de esos enigmáticos incidentes que a veces provoca la Historia en sus inescrutables resoluciones. Ocurre algo incomprensible. Por una de las múltiples brechas de las murallas exteriores han entrado unos cuantos turcos, no lejos del lugar donde se desarrolla lo más fuerte de la lucha, y no se atreven a atacar la muralla interior. Mientras, curiosos y sin ningún plan determinado, vagan por el espacio

que media entre la primera y la segunda muralla de la ciudad, descubren que una de las puertas menores del muro interno, la llamada Kerkaporta, ha quedado abierta por un incomprensible descuido. Se trata de una pequeña puerta por la cual entran los peatones en tiempos de paz durante las horas que permanecen cerradas las mayores, y precisamente porque carece de la menor importancia militar se olvidó su existencia durante la excitación general de la última hora. De momento sospechan los jenízaros que se trata de un ardid de guerra, ya que no conciben, por absurdo, que mientras ante cada brecha y cada puerta de la fortificación yacen amontonados millares de cadáveres, corre el aceite hirviendo y vuelan las jabalinas, se les ofrezca allí libre acceso, en dominical sosiego, por esta puerta, la Kerkaporta, que conduce al corazón de la ciudad. Por lo que pudiera ocurrir, piden refuerzos, y, sin hallar ninguna resistencia, la tropa penetra en el interior de Bizancio, atacando por detrás a sus defensores, que jamás hubieran sospechado tamaño desastre. Unos cuantos guerreros descubren a los turcos detrás de las propias filas, y de un modo aterrador surge el grito que en cualquier batalla resulta más mortífero que todos los cañones, sea o no la divulgación de un falso rumor: «¡La ciudad ha sido tomada!» Los turcos repiten aquellas terribles palabras con estentóreas voces de triunfo tras las líneas de los sitiados: «¡La ciudad está tomada!», y este grito acaba con toda la resistencia. Las tropas, que se creen traicionadas, abandonan sus puestos, para salvarse a tiempo acogiéndose a los barcos. Resulta inútil que Constantino, con algunos incondicionales, haga frente a los atacantes. Como otro combatiente cualquiera, cae en el fragor de la batalla, y ha de llegar el día siguiente para que, por su purpúreo calzado, que ostenta un águila de oro, se pueda reconocer entre los apilados cadáveres de los heroicos defensores de Bizancio al último emperador, que honrosamente dio su vida, perdiendo al mismo tiempo con ella el Imperio romano de Oriente. Un hecho insignificante, el que la Kerkaporta, la puerta olvidada, estuviese abierta, decidió el rumbo de la Historia.

CAE LA CRUZ

A veces, la Historia juega con los números. Pues justamente mil años después de que Roma fuera tan memorablemente saqueada por los vándalos empieza el saqueo de Bizancio. Mohamed, el triunfador, espantosamente fiel a su palabra, deja a discreción de sus guerreros, tras la primera matanza, casas, palacios, iglesias y monasterios, hombres, mujeres y niños en confuso botín. Corre la enloquecida soldadesca intentando adelantarse unos a otros para obtener mayor ventaja en el pillaje. El primer asalto va contra las iglesias, pues saben que guardan cálices de oro y deslumbrantes joyas, pero si por el camino desvalijan alguna casa, izan inmediatamente su bandera, para que sepan los que vengan después que allí el botín se ha cobrado ya; y ese botín no consiste sólo en piedras preciosas, dinero y bienes muebles en general, sino en mujeres para los serrallos y hombres y niños para el mercado de esclavos. La multitud de infelices que han buscado refugio en las iglesias son arrojados de ellas a latigazos. A los viejos se los asesina, por considerárseles bocas inútiles y género invendible. A los jóvenes se los agrupa en una especie de manada y son conducidos como animales. La insensata destrucción no tiene freno. Cuanto de valioso encontraron en inapreciables reliquias y obras de arte, es destruido, aniquilado por la furia musulmana. Las preciosas pinturas son desgarradas; las más bellas estatuas, derribadas a martillazos. Los libros, sagrado depósito del saber de muchos siglos, todo lo que era representación eterna de la cultura griega, es quemado o desechado. Jamás tendrá la Humanidad acabada conciencia del desastre que se introdujo en aquella hora decisiva por la abierta Kerkaporta, ni en lo muchísimo que perdió el mundo espiritual en los saqueos y destrucción de Roma, Alejandría y Bizancio. Mohamed espera a que llegue la tarde del gran triunfo, cuando la matanza ha terminado ya, para entrar a caballo en la ciudad conquistada. Fiel a su palabra de no estorbar la acción demoledora de sus soldados, pasa sin mirar atrás por las calles donde la soldadesca se entrega al pillaje. Altivamente se dirige a la catedral, la suprema joya de Bizancio. Durante más de cincuenta días había contemplado desde su tienda la brillante cúpula de Hagia Sophia, y ahora puede traspasar sus umbrales, cruzar la broncínea puerta como vencedor. Pero una vez más domina su impaciencia: primero quiere darle gracias a Alá antes de consagrarle para siempre aquella iglesia. Con humildad se apea del caballo e inclina profundamente la cabeza para orar. Luego coge un puñado de tierra y la esparce sobre ella, para recordar que él también es un simple mortal y que no debe envanecerse por su triunfo. Y sólo entonces, cuando ha hecho acto de humildad ante su dios, el Sultán se yergue y penetra como el primer servidor de Alá en la catedral de Justiniano, la Iglesia de la Sublime Sabiduría, en Hagia Sophia.

Curioso y conmovido, Mohamed contempla la hermosura de aquella joya arquitectónica, sus altas bóvedas, donde lucen el mármol y los mosaicos, los delicados arcos que de las tinieblas se elevan hacia la luz, y tiene la impresión de que aquel maravilloso palacio de la plegaria no pertenece a él, sino a su dios. Inmediatamente manda llamar a un imán, ordenándole que suba al púlpito y anuncie desde allí la fe del Profeta, mientras que el padichá, de cara a La Meca, pronuncia por primera vez su oración, dirigida a Alá, señor del mundo, en aquella catedral cristiana. Al día siguiente, los obreros reciben orden de quitar todos los símbolos de la creencia anterior: se arrancan los altares, pintan los piadosos mosaicos y es derribada desde lo alto del altar mayor, y cae con estrépito, la Cruz inmortal que ha estado extendiendo sus brazos por espacio de mil años, como si quisiera abarcar el mundo para consolar sus penas.

Resuena estremecedoramente el tremendo impacto por el ámbito del templo y mucho más allá. Ante la horrible profanación se conmueve todo el Occidente. Espantoso eco encuentra la noticia en Roma, en Génova, en Venecia. Como el retumbar del trueno se extiende a Francia, a Alemania, y Europa ve, conturbada, que por culpa de su ciega indiferencia ha penetrado por la Kerkaporta, la malhadada y olvidada puerta, una nefasta y devastadora potencia que debilitará sus fuerzas por espacio de siglos.

Pero en la Historia, como en la vida humana, el deplorar lo sucedido no hace retroceder el tiempo, y no bastan mil años para recuperar lo que se perdió en una sola hora.

LA RESURRECCIÓN DE HÄNDEL

LA RESURRECCION DE HANDL

Aquella tarde del 13 de abril de 1737 estaba el criado de Jorge Federico Händel entregado a la más singular de las ocupaciones ante la abierta ventana del piso bajo de la casa de Brook Street, en Londres. Acababa de descubrir con disgusto que se le había terminado el tabaco, y aunque le hubiera bastado cruzar dos calles para hacerse con nueva picadura en la tabaquería de su amiga Dolly, no se atrevía a salir de casa por miedo a la irascibilidad de su dueño y señor. Jorge Federico Händel había vuelto del ensayo presa de tremenda furia, con el rostro congestionado, abultadísimas las arterias temporales junto a las sienes. Cuando entró, cerró la puerta violentamente, y ahora iba y venía por sus habitaciones del primer piso de un modo tan descompuesto que hacía temblar el techo del entresuelo. Ciertamente, en tales momentos no era prudente descuidar el servicio.

Por eso, en lugar de lanzar bocanadas de humo, de haber tenido tabaco, el criado se entretuvo en hacer pompas de jabón. Después de preparar debidamente un recipiente para el caso, se complacía en echar a la calle los irisados globitos. Los transeúntes se paraban y los pinchaban con el bastón traviesamente, reían y saludaban al autor del entretenimiento, pero no se extrañaban, puesto que todo podía esperarse de aquella casa de Brook Street: allí atronaba el clavicordio en plena noche, y se oía gritar y sollozar a las cantantes cuando el violento alemán las hacía objeto de tremendas amenazas, por haber dado una nota demasiado

alta o excesivamente baja. En fin, hacía tiempo que los vecinos de Grosvenor Square consideraban aquella casa de
Brook Street, 25, como un verdadero manicomio.

El sirviente continuaba tranquilamente lanzando sus
pompas. Cada vez iban siendo mayores, más transparentes,
subían más y más alto, incluso una llegó a sobrepasar el
primer piso de enfrente. De pronto se sobresaltó, pues toda
la casa se había conmovido por efecto de un golpe sordo.
Vibraron los cristales, moviéronse las cortinas. Todo indi-
caba que algo muy pesado se había derrumbado en el piso
superior. El criado subió inmediatamente y se dirigió a toda
prisa al estudio del maestro. El sillón estaba vacío y la
habitación también. Se disponía ya a entrar en el dormitorio cuando descubrió a Händel que yacía inmóvil en el
suelo con los ojos abiertos, como muerto. Paralizado por el
susto, el criado percibió un ahogado estertor entre unos
gemidos cada vez más débiles.

«Está agonizando», pensó el pobre hombre, presa de
inmensa pena, y, arrodillándose, intentó auxiliar a su amo.

Poco después apareció Cristóbal Schmidt, el amanuense
del maestro, que se hallaba en el piso bajo copiando unas
arias y a quien sobresaltó también la brusca caída del maestro. Entre los dos consiguieron levantar aquel voluminoso
cuerpo, cuyos brazos pendían inertes, como los de un di-
funto.

— Desnúdale — ordenó Schmidt al criado —. Yo iré a
buscar al médico. No dejes de ir rociándolo con agua hasta
que logres reanimarle.

Salió Cristóbal Schmidt sin ponerse siquiera la chaqueta
y echó a correr, sin perder un instante, por Brook Street en
dirección a Bond Street, haciendo señas a todos los coches
que pasaban, sin que nadie se fijase en aquel hombre en
mangas de camisa. Por fin se detuvo uno de ellos. El cochero
de lord Chandos había reconocido a Schmidt, quien, pres-
cindiendo de toda etiqueta, abrió precipitadamente la porte-
zuela, gritando:

— ¡Händel se está muriendo! — Schmidt sabía que el
aristócrata que iba en el interior del carruaje era uno de lo.

mejores protectores del querido maestro y un gran amante de la música. Luego añadió —: Voy por el médico.

Lord Chandos le invitó en seguida a subir, el cochero fustigó los caballos y se dirigieron a buscar al doctor Jenkins, que en su despacho de Fleet Street estaba ocupado en analizar un frasco de orina. Inmediatamente, el doctor se trasladó en compañía de Schmidt a Brook Street en su ligero cochecillo.

— Las ocupaciones y los disgustos tienen la culpa de lo que pasa — se lamentaba el sirviente durante el trayecto —. Esos malditos cantantes, esos criticastros, toda esa gentuza asquerosa le están matando a disgustos. Este año escribió cuatro óperas para salvar el teatro, pero ellos se escudan en las mujeres y en la Corte. Ese maldito italiano, ese mico aullador, los trae locos. ¡Oh, cuánto daño han hecho a nuestro Händel! Todos sus ahorros, diez mil libras, los ha invertido en esa empresa, y ahora le acosan despiadadamente con pagarés, sin dejarle un momento de respiro. Nadie compuso jamás obras tan sublimes, nunca hombre alguno demostró tanta abnegación, pero tantas cosas juntas llegan a matar incluso a un gigante. ¡Qué grande, qué genial es nuestro maestro!

El doctor Jenkins, frío y reservado, escuchaba toda aquella perorata. Cuando llegaron a la casa, antes de entrar en ella dio una chupada a su pipa y sacudió el resto de tabaco que quedaba en ella.

— ¿Qué edad tiene? — preguntó de pronto.

— Cincuenta y dos años — contestó Schmidt.

— Mala edad. Ha trabajado como un toro; por otra parte, también es fuerte como un toro. En fin, veremos lo que tiene y lo que puede hacerse.

El criado sostuvo una palangana. Cristóbal Schmidt levantó un brazo al maestro y el médico pinchó la vena. Brotó al instante un chorro de sangre roja, caliente, y al propio tiempo salió un suspiro de los labios del enfermo. Händel respiró profundamente y abrió los ojos, unos ojos que indicaban cansancio, extrañeza, insconciencia, sin expresión alguna, y que carecían de su brillo habitual.

El médico le vendó el brazo. No quedaba gran cosa más que hacer. Se disponía ya a levantarse cuando se dio cuenta de que los labios del enfermo se movían. Se aproximó al paciente y percibió en un susurro, como un suspiro, lo que Händel decía:

— Todo..., todo se acabó para mí... No tengo fuerzas..., no quiero vivir sin fuerzas.

El doctor Jenkins se inclinó profundamente sobre él y advirtió que uno de los ojos, el derecho, le miraba fijamente, mientras el otro se movía de un modo normal. Intentó levantarle el brazo derecho, pero cayó inerte. Luego le levantó el izquierdo, que permaneció levantado. Al doctor Jenkins le bastaron aquellos indicios: sabía ya lo que quería saber.

Cuando hubo salido de la habitación, Schmidt le siguió hasta la escalera, asustado, demudado.

— ¿Qué tiene? — preguntó con ansiedad.

— Se trata de una apoplejía. El lado derecho está paralizado.

— ¿Se curará? — preguntó Schmidt, desolado.

El doctor tomó ceremoniosamente una dosis de rapé. No le gustaba aquella clase de preguntas.

— Quizá. Todo es posible — fue su lacónica respuesta.

— ¿Y quedará paralítico?

— Probablemente, si no ocurre un milagro.

Pero Schmidt, dominado por un amor profundo a su maestro, no dejaba de preguntar:

— ¿Y podrá..., podrá al menos volver a trabajar? ¡Él no puede vivir sin hacer algo, sin componer las maravillas que le dicta su inspiración!

El doctor se hallaba ya en la escalera.

— Eso, jamás — dijo quedamente —. Quizá podamos conservar al hombre. Al músico lo hemos perdido. El ataque ha afectado el cerebro.

Schmidt le miró fijamente, trasluciendo su rostro tal desesperación, que conmovió al médico.

— Lo dicho — repitió —: si no ocurre un milagro... Yo aún no he visto ninguno.

Durante cuatro meses, Jorge Federico Händel vivió sin fuerzas, como si la vida le hubiese abandonado. El lado derecho permanecía muerto. No podía andar, ni escribir, ni pulsar con su mano derecha una sola tecla. Tampoco podía hablar. Los labios se movían con dificultad y las palabras salían de su boca embrolladas y confusas. Cuando alguno de sus amigos hacía música para él, su mirada adquiría un poco de vida y el pesado y torpe cuerpo se agitaba como el de un enfermo durante el sueño. Quería seguir el ritmo de la música, pero los sentidos, los músculos, habían dejado de obedecerle. El antiguo gigante se encontraba ahora como aprisionado en invisible tumba. Cuando terminaba la música, cerrábanse sus párpados y volvía a parecer un cadáver. Hasta que por fin al médico, no sabiendo qué hacer ante un caso incurable, se le ocurrió aconsejar que lo llevaran al balneario de Aquisgrán, por si las aguas termales podían proporcionarle alguna mejoría.

Pero dentro de aquel rígido cuerpo sin movimiento, de modo parecido al de aquellas aguas misteriosamente calentadas bajo la tierra, latía una fuerza incomprensible: la fuerza de voluntad de Händel; la fuerza primaria de su ser no había quedado afectada por el ataque aniquilador y no estaba dispuesta a dejar que lo inmortal quedara sometido al cuerpo mortal. Aquel grande hombre no se daba por vencido, quería vivir todavía, aún quería crear, y esta voluntal indomable obró el milagro en contra de las leyes de la Naturaleza. En Aquisgrán, los médicos le advirtieron con gran insistencia que si permanecía más de tres horas en el agua caliente, su corazón no lo resistiría, e incluso podía acarrearle la muerte. Pero su voluntad lanzó un reto a la muerte por causa de la vida y de su tenaz deseo: recobrar la salud. Con gran terror de los médicos, Händel permanecía nueve horas diarias en el baño, y con la voluntad fue recuperando las demás fuerzas. Al cabo de una semana ya podía volver a caminar, aunque dificultosamente; al cabo de dos, ya movía el brazo. Al cabo de poco tiempo más, ¡oh enorme triunfo de la voluntad!, se desprendía de la paralizante garra de la muerte y abrazaba otra vez la vida, con más ardor que nunca, con ese indecible alborozo que sólc conoce el convaleciente.

El último día de su estancia en Aquisgrán, ya completa mente dueño de su cuerpo, que había de dejar aquellos luga res, Händel se detuvo ante una iglesia. Nunca había sido muy religioso, pero ahora que podía llegar libremente por su: propios pasos hasta el lugar donde se hallaba emplazado e órgano, merced a la gracia que le había sido concedida, se sintió impulsado por una fuerza irresistible. Con la manc izquierda pulsó, tentándolas, las teclas. El sonido se espar ció claro y puro por el espacio. Con timidez ensayó con la mano derecha, que tanto tiempo había permanecido inmó vil. Y, ¡oh portento!, también a su conjuro las argentina notas llenaron el ámbito del templo. Poco a poco empez a tocar, a improvisar, y el fuego de la inspiración fue inva diendo gradualmente su ser. De un modo maravilloso iba coordinándose los invisibles acordes, elevándose en excelsa reiteración las prodigiosas edificaciones de su genio, con una claridad inmaterial, de luminosas sonoridades. Los fieles y las monjas que se hallaban en la iglesia escuchaban con fer vor. Jamás habían oído tocar de aquel modo. Y Händel con la frente humildemente inclinada, continuaba tocando Había hallado de nuevo su propio lenguaje, con el que se dirigía a Dios, a la Eternidad y a los hombres. De nuevo podía componer música, crear. Por fin se sentía verdadera mente curado.

— He vuelto del infierno — decía con orgullo Jorge Fe derico Händel, hinchando el amplio pecho y extendiende sus enormes brazos al médico londinense, que no cesaba de admirar aquel prodigio de la Medicina.

Y con todas sus fuerzas, con su arrollador ímpetu para el trabajo, se lanzó el convaleciente, con redoblada energía a su labor creadora. El antiguo deseo de lucha había vuelto a aquel hombre de cincuenta y tres años. Escribe una ópera pues su mano recobró sus facultades y le obedece fielmente y luego otra, y una tercera, los grandes oratorios *Saúl*, *Israe en Egipto* y el *Allegro e Pensieroso*. Del manantial de su inspiración vuelve a brotar agua abundante. Pero las ci cunstancias le son adversas. La muerte de la Reina interrumpe las representaciones; empieza luego la guerra contra España. Las gentes se congregan en las plazas públicas para cantar y vociferar, pero los teatros están vacíos y las deudas del pobre Händel van en aumento. Viene después el duro invierno. El frío es tan intenso que incluso llega a helarse el Támesis, por cuya superficie se deslizan tintineantes trineos y patinadores. Durante aquellos días se cierran las salas de espectáculos, pues ninguna organización musical se atreve a afrontar el frío; enferman los cantores, suspendiéndose ora una, ora otra función. Cada día que pasa es más apurada la situación de Händel. Le acosan los acreedores, se burlan de él los críticos, calla con indiferencia el público. Y el gran luchador va perdiendo el valor para afrontar tantas vicisitudes. Una representación de beneficencia le alivia momentáneamente, permitiéndole pagar las deudas más apremiantes, pero ¡qué vergüenza recuperar la vida merced a aquella especie de mendicidad! Cada vez se encierra el maestro más en sí mismo, cada vez está más amargado. ¿No era mejor tener paralizada la mitad de su cuerpo que el alma entera, como le sucede ahora? Llega el 1740, y Händel se siente de nuevo derrotado, hundido, polvo y ceniza de su antigua gloria. Recopila algunos trozos de obras anteriores y todavía puede producir algo, pero el ímpetu está vencido y con él la energía del sanado cuerpo; por primera vez, el maravilloso impulso creador se ve agotado, desvirtuada su facultad, que por espacio de treinta y cinco años se ha derramado por su mundo. Una vez más ha terminado todo. Y en su absoluto desconcierto sabe, o cree saber, que el fin es definitivo. ¿Para qué le había permitido Dios resucitar de su enfermedad, si los hombres volvían a enterrarle? Mejor hubiera sido morir, en lugar de ir deslizándose, como una sombra de sí mismo, en el vacío, en la frialdad de este mundo. Y, llevado de su depresión, repite muchas veces en un murmullo las palabras de Jesucristo en la cruz: «Dios mío, Dios mío, ¿por qué me has abandonado?»

Perdido, desconcertado, cansado de sí mismo, desconfiando de sus fuerzas, desconfiando quizá de Dios, Händel vaga por las calles de Londres hasta bien entrada la noche, pues de día esperan ante la puerta de la casa sus acreedores esperando su regreso. En la calle le duelen las miradas indiferentes. Algunas veces medita sobre la conveniencia de marcharse a Irlanda, donde todavía creen en su arte — ¡ah, qué poco sospechan lo débil que está su pobre cuerpo! —, o quizás a Alemania, o a Italia; acaso llegue a derretirse de nuevo el hielo interior; tal vez allí, acariciado por el cálido viento del Sur, rebrote la melodía de entre el yermo de su espíritu. No, él, Jorge Federico Händel, no puede soportar aquel desamparo, no puede estar sin crear. En ocasiones se detiene ante una iglesia. Pero sabe que las palabras no le proporcionarán consuelo. A veces se sienta en una taberna, pero al que conoció la elevada y pura embriaguez de la creación artística le repugna la torpe embriaguez del alcohol. Y otras muchas veces, asomado al pretil de alguno de los puentes del Támesis, contempla atentamente en la noche las negras y calladas aguas, preguntándose si no sería mejor terminar con todo aquel lastre con un resuelto salto. Todo, con tal de no seguir envuelto en aquel vacío. Todo, con tal de acabar con la soledad de aquella gris existencia, desamparado de Dios y de los hombres.

Otra de las noches de aquella época, Händel deambulaba por Londres como siempre. El día había sido sumamente cálido. Era el 21 de agosto de 1741. El cielo, como de metal fundido, se cernía opresivamente sobre la ciudad. Händel no se atrevió a salir hasta el oscurecer, para respirar un poco el aire del Green Park. Sentóse a descansar allí, en la impenetrable sombra de los árboles, donde nadie podía verle ni torturarle. Se sentía fatigado, sufría un cansancio que le pesaba como si fuera una enfermedad, pues no tenía ánimo ni para hablar, ni para escribir, ni para interpretar música ni siquiera para pensar, para sentir, para vivir. ¿Para quién y para qué? Como un beodo había recorrido luego las calles del trayecto de vuelta a su casa, a lo largo de Pall Mall y St. James Street, dominado por un solo y absorbente pensamiento: el de dormir, dormir, no saber nada; sólo descansar, descansar, a ser posible para siempre. En la casa de

Brook Street, todo el mundo se había acostado ya. Subió las escaleras lentamente. ¡Ah, qué fatiga la suya, qué extenuación había producido en su ánimo la persecución a que le habían sometido los hombres!, pensaba mientras ascendía peldaño a peldaño. Sus pasos hacían crujir la madera. Llegó por fin al primer piso y encendió el quinqué de su mesa; lo hizo maquinalmente, como lo hacía desde años atrás al ponerse a trabajar. En otra época, cada paseo le inspiraba alguna melodía, algún tema musical, que transcribía rápidamente al llegar a casa, para que el sueño no borrara de su mente el fruto de su inspiración. Pero ahora, al recordarlo, suspiró con profundo pesar. Ahora, en cambio, la mesa estaba vacía, no había en ella papel pautado alguno. El molino de la fantasía había dejado de girar. Nada había que empezar; nada tenía que terminar. ¡Sí, la mesa se hallaba vacía!

¡Pero no, allí había algo! El músico se dio cuenta de que en un ángulo se veía un pequeño cuadro blanco..., como una hoja de papel. Händel se apoderó de ella inmediatamente, suponiendo que estaría escrita. Pero era un sobre. Lo abrió con apresuramiento y se encontró con una carta de Jennens, el poeta que había escrito el libreto de su *Saúl* y de su *Israel en Egipto*. En ella le decía que le mandaba un nuevo poema y que esperaba que el gran genio de la música, el *phœnix musicæ*, daría calor a sus pobres palabras y las transportaría con sus alas por el éter de la inmortalidad.

Händel dio un respingo como si hubiese tocado algo repugnante. ¿Se proponía Jennens burlarse de él, de él, que estaba muerto, paralizado? Hizo trizas la carta en un santiamén. La tiró al suelo y la pisoteó. «¡Canalla, bribón!», masculló. La carta le había abierto la más tierna de sus heridas, produciéndole un desgarrón que le llegó hasta la más profunda amargura de su alma. Apagó la luz, muy enojado, se dirigió a tientas a su aposento y tumbóse en la cama. Fluyeron las lágrimas a sus ojos, y todo su cuerpo temblaba, por la rabia que le producía su impotencia. «¡Maldito sea este mundo que se burla de sus víctimas y goza torturando al que sufre!» ¿Por qué acudían a él, si se sabía que su inspiración estaba agotada, que su impulso creador carecía de fuerza? ¿Por qué le encomendaban en aquellos trágicos momentos una obra, cuando le fallaban las potencias de su alma? Lo único que podría hacer era dormir, dormir estúpidamente como un irracional, olvidar, no existir.

Turbado, perdido, yacía pesadamente en el lecho. Pero no podía conciliar el sueño. La ira agitaba su ánimo, como la tormenta hace con el mar. Sufría una desazonadora y secreta inquietud. No hacía más que dar vueltas en la cama, ora a la derecha, ora a la izquierda, y por momentos se sentía más desvelado. Se preguntaba: «¿Debo quizá levantarme y examinar las palabras de ese texto?» Pero ¿qué influencia podían tener las palabras en su espíritu, que se sentía desfallecer? No, ya no existía consuelo para él, a quien Dios había dejado de su mano, a quien se había negado la conexión con su vida, la música. ¡Ahora vivía separado del mundo de los vivos! No obstante, seguía latiendo en él una extraña curiosidad, a la que no podía sustraerse. Por fin se levantó, volvió a su estudio y encendió de nuevo la luz temblándole las manos de emoción. ¿No le había ya arrancado una vez un milagro de la atenazadora parálisis de su cuerpo? Acaso la Providencia le depararía ahora salud y consuelo para su alma. Colocó el quinqué cerca de aquellas hojas de papel que habían venido con la carta y que eran la causa de su obsesión. En la primera página decía: «El Mesías». ¡Ah, otro oratorio! Los últimos habían sido un fracaso. Llevado de su inquietud, volvió la hoja y comenzó a leer.

Ya desde la primera palabra se conmovió: *Conmfort ye!*, «¡Consolaos!», palabra que era como un mágico encantamiento, como una respuesta divina a su desfallecido corazón. Y ya, apenas leídas, apenas captadas, las palabras del texto fueron oídas por Händel como música, remontándose en sonidos, cantando, expandiéndose en el éter. ¡Oh felicidad, las puertas se habían abierto! ¡Lo que él sentía, lo que él oía, se traducía de nuevo en música!

Con temblorosas manos fue pasando las hojas del manuscrito. Se sentía subyugado, inspirado; cada palabra le cautivaba con fuerza irresistible. «Así habló el Señor.» ¿No iba esto especialmente dirigido a él solo? ¿No era la misma mano que le había derribado que le levantaba ahora del suelo? «Y Él te purificará.» Sí, esto es lo que le había sucedido a él: de pronto había quedado purificada la amargura que roía su corazón. Se veía penetrado de una luz de diáfana pureza. ¿Quién había infundido vigor a las palabras del pobre Jennens, del poeta de Gopsall, e impulsado su pluma, sino Aquel que era el único que conocía su desgracia? «Para que ofrezcan sacrificios al Señor.» Sí, de su ardiente corazón debían salir las llamas de amor que ascendieran al cielo y que fueran la respuesta amorosa al dulce llamamiento divino. A él, sólo a él se le decía: «Clama tu palabra con firmeza.» ¡Ah, clamar eso, proclamarlo con las retumbantes trompetas, con los poderosos coros, con la gran sonoridad del órgano, para que una vez más, como en el primer día de la Creación, despierte a los hombres la Palabra, el Logos, llevando la luz a todos aquellos que todavía yacían desesperados en las tinieblas del pecado! Pues verdaderamente: «Mirad, la oscuridad cubre la tierra»; no conocen todavía la feliz nueva de la Redención, que se ha operado en él, en Händel, en aquellos momentos. Y, apenas leídas las palabras, ya surgía de lo más íntimo de su alma un clamor de agradecimiento. «Consejero admirable, Dios todopoderoso.» Sí, quería loar, agradecer al Dios admirable, que le infundía el don de consejo, que le animaba a obrar, que devolvía la paz a su desgarrado corazón. «Luego, el Ángel del Señor se aproximó a ellos.» Sí, un ángel acababa de descender a su aposento para salvarle. ¿Cómo no había de prorrumpir en una acción de gracias, cómo no cantar en público, con mil voces unidas a la propia, el «Gloria a Dios»?

Händel inclinó la cabeza sobre el manuscrito con gran excitación. Su abatimiento había desaparecido. Jamás se había sentido con tantos bríos ni experimentado con tanto ardor el sentimiento de la creación artística. Continuamente acudían a su mente, como destellos de luz, las palabras que expresaban sus íntimos sentimientos: «¡Regocíjate!», y como si las oyera cantar por un coro, levantó instintivamente la cabeza y sus brazos se extendieron en toda su amplitud. «Él es el verdadero Salvador.» Sí, esto era lo que él quería confesar y atestiguar, como jamás mortal alguno lo expresara, para que fuera como antorcha luminosa que lo proclamara ante el mundo entero. Sólo el que ha sufrido mucho conoce lo que es la alegría; sólo el que ha sido probado intuye el bien supremo de la gracia. A él le incumbe ahora dar fe de su resurrección ante los hombres como consecuencia de haber sufrido el dolor de la muerte moral. Cuando Händel leyó las palabras «Y él fue despreciado», acudieron a su mente pasados recuerdos, transformados en aquel momento en opresivos y oscuros sonidos. Le habían considerado vencido, le habían enterrado en vida, le habían perseguido con la burla. «Y los que le ven, se ríen de Él.» Sí, también de él se rieron. «Y no hubo nadie que consolara al atribulado.» Nadie le había ayudado a él tampoco, nadie le había auxiliado en su desfallecimiento. Pero, ¡oh maravillosa fuerza!, él había confiado en Dios, y he aquí que el Señor no permitía que yaciera en la tumba. «Pero Tú no abandonaste su alma en los infiernos.» No, Dios no le había dejado en la tumba de su desconcierto ni en el infierno de su desánimo, aprisionada y desvirtuada su alma. No. Dios le había llamado una vez más para que transmitiera a los hombres aquel mensaje de júbilo: «Levantad vuestras cabezas.» ¡Oh, cómo se reflejaban en sonidos estas palabras, el gran Mandato de la Anunciación! Y de pronto se estremeció, pues allí, escrito por la propia mano de Jennens, se leía: «El Señor dio la palabra.»

Se le paró la respiración. Allí estaba la verdad expresada casualmente por labios humanos: el Señor le había enviado su Palabra desde lo alto. De Él venía la palabra, de Él el sonido, de Él la gracia. A Él tenía que volver el músico, debía remontarse hasta Él impulsado por su corazón. Aquel ansia creadora no tenía más objeto que el de entonar un cántico de alabanza. Llegar a comprender, a retener y elevar la Palabra, divulgarla y propagarla hasta que se hiciera amplia como el mundo, hasta que abarcara todo el júbilo de la existencia, hasta que fuera algo grande, digno del Dios que la había otorgado. Transformar en eternidad lo que de mortal y transitorio había en la palabra valiéndose de la belleza y de la exaltación. Y, ¡oh prodigio!, allí figuraba escrita, allí sonaba, infinitamente repetible y transformable, la palabra: «¡Aleluya, aleluya, aleluya!» Sí, había que incluir en ella todas las voces humanas, las claras y las oscuras, las viriles de los hombres y las suaves de las mujeres, ligarlas y superarlas, en rítmicos coros, ascendiendo y descendiendo como en simbólica escala de Jacob de los sonidos, aplacarlas con los dulces acordes de los violines, enardecerlas con las notas más vigorosas de los metales, hacerlas potentísimas con la grandiosidad del órgano, para que se expandieran por el espacio: «¡Aleluya, aleluya, aleluya!» ¡Sí, había que extraer de esta palabra la expresión de agradecimiento que llegara hasta el Creador del universo!

Händel se encontraba en un estado tal de místico fervor, que las lágrimas empañaban sus ojos. Faltaba todavía leer la tercera parte del oratorio. Pero después de este «¡Aleluya, aleluya, aleluya!» no acertaba a seguir. Las melodías que estas palabras le habían inspirado se iban desarrollando en su cerebro y embargaban todo su ser, quemándole como fuego líquido que ansiaba seguir fluyendo hasta desbordarse. ¡Cómo le atenazaba y conmovía en su empeño de salir de su íntima prisión, en su impetuoso anhelo de volver a alcanzar las divinas alturas! Se apresuró a coger la pluma y escribió unas notas. No podía detener aquel impulso interior. Como barco con las velas azotadas por la borrasca lo arrastraba sin tregua. A su alrededor imperaba la noche. En silencio se cernía la húmeda oscuridad sobre Londres. Pero en su alma entraba a raudales la luz, e inaudible llenaba la estancia la música del Cosmos.

A la mañana siguiente, cuando su criado entró cautelosamente en su habitación, Händel seguía escribiendo todavía en su mesa de trabajo. Cuando Cristóbal Schmidt, su colaborador, le preguntó tímidamente si podía ayudarle copiando, el gran músico lanzó un poco amistoso gruñido.

En adelante nadie se atrevió a molestarle. Durante tres semanas consecutivas no salió siquiera de la habitación ni interrumpió su labor, y cuando le entraban la comida, cogía apresuradamente con la mano izquierda unos trozos de pan, mientras con la derecha seguía escribiendo ininterrumpidamente. Cuando se levantaba para dar unos paseos por el cuarto, canturreando en voz alta y llevando el compás con la mano, sus ojos tenían una expresión lejana. Si le dirigían la palabra, se sobresaltaba, y su respuesta era vaga y confusa. Mientras tanto, el sirviente pasaba días difíciles. Los acreedores acudían a cobrar sus recibos, venían los cantantes solicitando una cantata para un festival cualquiera, se presentaban mensajeros con el encargo de invitar a Händel al palacio real. Pero a todos les tenía que despedir el pobre hombre, pues no se atrevía a decir nada al creador infatigable, viéndose obligado, además, a soportar los exabruptos de su incontenible ira. Para Jorge Federico Händel, durante aquel período de tres semanas, los días y las horas no contaban, no distinguía el día de la noche, vivía totalmente sumido en aquella esfera en la que reinaban en supremacía el ritmo y el tono, entregado por completo al raudal de notas que de él fluían cada vez con mayor furia, más impetuoso a medida que la obra tocaba a su fin. Aprisionado en sí mismo, medía, con pasos rítmicos, ajustados a un compás, el calabozo de su aposento. Cantaba, pulsaba unas notas en el clavicordio y luego se ponía a escribir de nuevo hasta que sus calenturientas manos y sus extenuados dedos no podían más. Jamás había sentido tan poderosamente el impulso creador; jamás había vivido ni sufrido así, entregado a su música.

Por fin, al cabo de tres semanas escasas, hecho verdaderamente inconcebible, el 14 de septiembre terminó su obra.

La palabra se había hecho sonido. Inmarcesiblemente, florecía de un modo maravilloso lo que hasta entonces había sido seca y árida palabrería. Se había cumplido el milagro de la voluntad en su alma ardiente, del mismo modo que se realizó antes en su cuerpo inválido: el milagro de una resurrección. Ya estaba todo escrito, creado, cifrado en melodía y acompañamiento... Sólo faltaba una palabra, la última de la obra: «¡Amén!» Pero este «¡amén!», estas dos sílabas escuetas y breves, fueron tratadas por Händel de tal modo que logró hacer de ellas una asombrosa escala de tonos que había de elevarse hasta el cielo. Una voz las lanzaba y otras la recogían en cambiante coro. Alargó las dos sílabas y las desunió muchas veces aún. Como el hálito de Dios, la inspiración de Händel resonaba en la palabra final de la maravillosa plegaria, que de este modo había alcanzado una plenitud y amplitud grandiosas. Esta palabra, sola, concluyente, no le dejaba respiro. En espléndida fuga, compuso este «¡amén! a base de la primera vocal, la sonora «a», el tono prístino, hasta formar con ella una sonora catedral, tratando de llegar al cielo con su más afilado capitel, elevándose cada vez más, para descender nuevamente y surgir otra vez, hasta quedar recogida al fin por el fragor del órgano, por el ímpetu de los coros, llenando todas las esferas, hasta producir la impresión de que en aquel canto de gracias intervenían también los ángeles.

El gran músico se sentía extenuado; la pluma se le cayó de la mano. Ya no sabía dónde se hallaba. No veía ni oía; sólo sentía una fatiga intensísima. Tenía que apoyarse en la pared. Las fuerzas le abandonaban, su alma desfallecía, se tambaleaba su cuerpo, embotados estaban sus sentidos. Andando a tientas, como un ciego, se desplomó sobre el lecho y se durmió rendido, sin energías, exhausto...

Durante aquella mañana, el criado había abierto cautelosamente por tres veces la puerta de la habitación. Pero el maestro dormía, inmóvil, profundamente. Su pálido rostro parecía tallado en piedra. Al mediodía, por cuarta vez, intentó el sirviente despertarlo. Tosió para atraer su atención, llamó a la puerta con insistencia... Pero nada podía sacarle de aquel sueño tan profundo. Cristóbal Schmidt acudió por la tarde en su auxilio, pero Händel continuaba sumido en aquella especie de sopor. Schmidt se inclinó sobre el durmiente, que yacía como un héroe muerto en el campo de batalla una vez lograda la victoria. Pero ni Cristóbal Schmidt ni el criado conocían la triunfal hazaña y estaban verdaderamente asustados al verle tan postrado e inmóvil; temían que de nuevo le hubiese repetido un ataque como el anterior. Y al comprobar que eran inútiles los gritos y los zarandeos para sacarle de aquel estado (hacía diecisiete horas que estaba inerte y como sin sentido), corrió Cristóbal otra vez en busca del médico. Pero no dio con él en seguida, ya que el doctor Jenkins, aprovechando la placidez de la tarde, se había ido a pescar a orillas del Támesis. Cuando por fin lo encontraron, la interrupción de su entretenimiento le contrarió, pero al enterarse de que se trataba de Händel guardó todos sus útiles de pesca, fue a buscar — lo cual supuso una pérdida de tiempo — su equipo quirúrgico para hacer, si fuese preciso, la consabida sangría al enfermo, y finalmente se dirigió, en su cochecito tirado por un *pony*, hacia Brook Street.

Cuando llegaron, les salió al encuentro el criado agitando los brazos jubilosamente.

— ¡Ha resucitado! — exclamó loco de alegría —. Ahora está comiendo como una fiera. Se ha tragado medio jamón de Yorkshire en un santiamén; le he servido cuatro pintas de cerveza y todavía pide más.

Y, en efecto, Händel estaba sentado ante la bien provista mesa, como un Gargantúa, y si había dormido un día y una noche para recuperar de un tirón las tres semanas que pasó en vela, ahora comía y bebía con todo el apetito de su gigantesco cuerpo, como si de una sola vez quisiera resarcirse del esfuerzo concedido a la intensa labor de tantos días. Tan pronto como vio al médico, empezó a reír con una risa que paulatinamente fue haciéndose enorme, estruendosa, hiperbólica, por así decirlo. Schmidt recordó que durante las pasadas semanas ni siquiera había visto una sonrisa en los labios de Händel y sí sólo concentración y enojo. Ahora estallaba la reprimida alegría propia de su naturaleza, retumbando como las olas al estrellarse contra las rocas. Jamás había reído Händel de un modo tan elemental como ahora, al ver al doctor acudir en su auxilio precisamente en los momentos en que se sabía curado y sano como nunca y en que el ansia de vivir le embargaba el ánimo como una verdadera embriaguez. Levantó el jarro de cerveza a modo de saludo hacia el recién llegado visitante, severamente vestido de negro.

— ¡Lléveme el diablo! — exclamó asombrado el doctor Jenkins —. ¿Qué os ha sucedido? ¿Qué especie de elixir habéis bebido? ¡Si estáis derrochando salud!

Händel le miró sin dejar de reír, con los ojos brillantes. Luego fue recuperando poco a poco la seriedad. Se levantó lentamente y se acercó al clavicordio. Sonriendo de una manera especial empezó suavísimamente a tocar la melodía del recitativo: «Atended, os contaré un Misterio.» Eran las palabras de *El Mesías* y habían sido comenzadas a pronunciar medio en broma. Pero apenas había puesto los dedos en el teclado, se sintió arrebatado por la inspiración. Tocando, olvidóse de los demás e incluso de sí mismo. La corriente musical le cautivó de tal manera que quedó como sumergido en su obra. Cantaba e iba tocando la parte de los últimos coros, que había compuesto como en un sueño; en cambio, ahora los oía despierto por primera vez. «¡Oh muerte, ¿dónde está tu aguijón?», se preguntaba en lo más profundo de su ser, penetrado por el ardor de la vida, e iba elevando cada vez más la voz. Reproducía incluso el coro, las voces de júbilo y exaltación, y así continuó cantando y tocando hasta que llegó al «¡Amén!» La estancia parecía retumbar al conjuro de tanto sonido, tan impetuosamente vertía el maestro todo su vigor musical en aquella parte de la obra.

El doctor Jenkins estaba aturdido. Y cuando al fin Händel se levantó, el doctor dijo, perplejo y admirado, lo primero que se le ocurrió:

— Jamás oí cosa semejante, amigo mío. ¡Parece que tengáis el demonio en el cuerpo!

Ante aquella salida, el semblante del músico se ensombreció. También él estaba asustado de su obra y de la gracia que había sobrevenido como durante un sueño. También él se sentía como avergonzado.

Se volvió de espaldas y con voz muy queda, que apenas pudieron oír los presentes, comentó:

— Creo más bien que es Dios quien ha estado conmigo.

Algunos meses más tarde, dos caballeros bien vestidos llamaron un día a la puerta de la casa de Abbey Street, en Dublín, que era a la sazón el domicilio del ilustre músico, que de Londres se había trasladado allí. Muy respetuosamente le expusieron, antes de formular su petición, que durante algunos meses sus obras habían deleitado los oídos del público en la capital de Irlanda, y que se habían enterado de que quería estrenar precisamente en Dublín su nuevo oratorio *El Mesías.* Como el honor de darlo a conocer antes que en Londres representaba una deferencia y se esperaba que la recaudación que se obtendría sería importante, habían acudido a él para rogarle que se aviniese a renunciar a sus pingües ingresos a favor de las instituciones benéficas que ellos representaban.

Händel los miró apacible y amablemente. Les respondió que amaba mucho a aquella ciudad que tan acogedora se había mostrado con él y que estaba dispuesto a complacerlos. Dijo esto sonriendo con dulzura, pero quiso saber a qué instituciones iba a ser destinada la recaudación que proporcionaría el concierto.

— A socorrer a los presos de las cárceles lejanas — dijo el primero de los visitantes, hombre de aspecto apacible y pelo cano.

— Y a los enfermos del hospital Mercier — se apresuró a añadir el otro.

Y explicaron en seguida que, naturalmente, aquel caritativo destino sólo afectaría a la primera audición, ya que las restantes serían exclusivamente para el maestro.

Pero Händel rechazó esta última decisión.

— No — dijo en voz baja —, no quiero percibir dinero por esa obra. Jamás admitiré dinero, jamás. Estoy en deuda con Otro por ella. Será siempre para los enfermos y los presos. Yo mismo estaba enfermo, y gracias a esa obra he sanado. Me encontraba preso, y ella me liberó.

Los dos caballeros se miraron algo sorprendidos. No acababan de comprenderle. Pero le dieron las gracias, se inclinaron respetuosamente y se marcharon para pregonar la fausta nueva por la ciudad.

El 7 de abril de 1742 tuvo lugar el último ensayo. Sólo se permitió la entrada a algunos familiares de los coristas de las dos catedrales. Por razones de economía, la sala de conciertos estaba poco iluminada. Dispersos, sentados en los bancos, estaban los escasos oyentes, disponiéndose a escuchar la nueva obra del maestro londinense. El local aparecía oscuro y frío. Pero aconteció algo maravilloso tan pronto como los coros, cual cataratas de sonidos, comenzaron a elevar sus voces. Sin darse cuenta ellos mismos, los oyentes desperdigados por los bancos fueron agrupándose, y poco a poco se reunieron todos en un oscuro bloque de admiradores, pues a cada uno de ellos se le antojaba que el ímpetu de aquella música desconocida era excesivo para resistirlo uno solo, como si en su aislamiento pudiera ser barrido y destrozado por ella. Cada vez se apretujaban más los oyentes en un solo cuerpo, como si quisieran escucharla formando también todos un solo corazón, como si una sola comunidad de creyentes se preparara a recibir el mensaje de fe, que, compuesto y expresado de un modo cambiante, les llegaba en recios sonidos emitidos por las pujantes voces. Cada uno de los oyentes carecía de fuerza suficiente para resistir aquel ímpetu, pero se sentía transportado y cautivado por él, y un escalofrío de emoción pasaba de unos a otros como a través de un solo cuerpo.

Cuando resonó el «Aleluya» por primera vez, se puso en pie uno de ellos y todos le imitaron, como impulsados por un resorte. Tenían la impresión de que no podían seguir aferrándose a la tierra y, movidos por una poderosa fuerza, se ponían en pie para estar más cerca de Dios con sus voces e implorar su gracia. Al salir del ensayo fueron contando de puerta en puerta que habían oído una creación musical única en el mundo. Y la ciudad entera, con jubilosa expectación, se apresuró a escuchar aquella obra maestra.

Seis días más tarde, el 13 de abril por la noche, se aglomeraba la multitud ante las puertas de la sala de conciertos. Las damas iban sin miriñaque y los caballeros sin espada, para que cupiera más gente en el local. Setecientas personas, número jamás alcanzado, se apretujaban en el recinto, tan rápidamente se había extendido la fama de la obra. Al empezar a sonar la música se hizo un silencio expectante. Y cuando luego irrumpieron los coros, con huracanada violencia, los corazones comenzaron a conmoverse.

Händel estaba junto al órgano. Quería vigilar y dirigir su obra, pero se desentendió de ella, se perdió en ella. Le era extraña, como si no la hubiese concebido, como si no la hubiese oído nunca, como si no la hubiese creado y dado forma, dejándose llevar de nuevo por la propia inspiración. Y cuando al final se entonó el famoso «Amén», sin darse cuenta se le abrieron los labios y empezó a cantar con el coro. Cantó como jamás cantara en su vida. Y después, apenas el júbilo del auditorio empezó a atronar el espacio con sus clamores de entusiasmo, Händel se deslizó silenciosamente afuera, para no tener que dar gracias a los hombres, que querían a su vez agradecerle su obra, sino a la Divina Gracia, que le había inspirado tan sublime creación.

El dique había sido abierto. Durante años y años no disminuyó la fama de aquella obra que, como río impetuoso, corría a través del tiempo. Desde entonces ya nada logró doblegar a Händel; nada pudo abatir al resucitado. La compañía de ópera que él había fundado en Londres se declaró en quiebra, los acreedores le acosaban otra vez, pero él se mantenía firme y sereno. Resistía todas las contrariedades sin preocuparse. Sin dejarse amilanar, continuaba el sexagenario su camino jalonado por los hitos de su obra. Se le presentaban dificultades, pero sabía vencerlas. La edad fue minando sus fuerzas; pero con su incansable espíritu fue prosiguiendo su labor creadora. Incluso llegó a quedarse ciego de repente mientras escribía su *Jefte*. Pero sin vista, como Beethoven sin oído, siguió componiendo más y más, tenaz e incansablemente. Y cuanto mayores eran sus triunfos en la tierra, más se humillaba ante Dios.

Como todo auténtico artista, no se envanecía de sus obras. Pero había una que le era especialmente querida: *El Mesías*, y justamente por agradecimiento, porque le había salvado de su profundo abatimiento, porque con ella había conseguido la redención. Año tras año se interpretaba en Londres. Y siempre dedicaba la recaudación completa, unas quinientas libras, a la mejora de los hospitales. Era el tributo del hombre sano a los enfermos; del liberado, a los que todavía sufrían prisión. Y precisamente con esta obra con la que había salido del averno quería despedirse.

El 6 de abril de 1759, gravemente enfermo, a los setenta y cuatro años de edad, pidió que lo llevaran al estrado del Covent Garden. Y allí se irguió entre sus fieles, gigantesco y ciego, entre sus amigos músicos y cantantes, que no podían resignarse a ver sus ojos apagados para siempre. Pero al acudir a su encuentro las oleadas de sonidos, al expandirse el vibrante júbilo de cientos de voces proclamando la Gran Certeza, se iluminó su fatigado rostro y quedó transfigurado. Agitó los brazos llevando el compás, cantó con tanto fervor como si fuese un sacerdote que estuviera oficiando su propio réquiem y oró con todos por su salvación y la de toda la Humanidad. Sólo una vez, cuando, a la voz de «Las trompetas sonarán», dejaron éstas oír sus acordes, se estremeció y miró a lo alto con sus ciegos ojos, como si ya estuviese preparado para presentarse al Juicio Final. Sabía que había cumplido bien su misión. Podía comparecer ante Dios con la serenidad del deber cumplido.

Sus amigos, muy afectados, lo llevaron a casa. También ellos tenían la impresión de que aquello había sido la despedida. Ya en la cama, sus labios murmuraron suavemente que moriría el Viernes Santo. Los médicos, extrañados, no lograban comprenderle, pues ignoraban que aquel Viernes Santo caía en 13 de abril, o sea el día en que la pesada mano del destino le había abatido y el del estreno de *El Mesías*. Las fechas coincidían: aquella en que todo había muerto en él y aquella en que resucitó. Y quería morir precisamente el mismo día que había resucitado, para tener la certeza de su resurrección a la vida eterna.

Y, en efecto, como lo consiguiera todo con su poderosa voluntad, logró ahora también atraer a la muerte según sus deseos. El 13 de abril, Händel perdió las fuerzas por completo. Ya ni oía. Aquel enorme cuerpo yacía inmóvil en su lecho como desierto habitáculo. Pero así como las vacías caracolas marinas reproducen el rumor del oleaje, su espíritu estaba inundado por una música inaudible, más extraña y grandiosa que cuantas había oído jamás. Lentamente, sus apremiantes acordes fueron liberando el alma del helado cuerpo, para elevarla hacia etéreas regiones, como eterno sonido, a las eternas esferas. Y al día siguiente, antes de que las campanas de Pascua anunciaran la Resurrección, sucumbió lo que en Jorge Federico Händel había de mortal.

EL GENIO DE UNA NOCHE

«LA MARSELLESA», 25 DE ABRIL DE 1792

Nos hallamos en el año 1792. Hace ya algunos meses que en la Asamblea Nacional Francesa se debate sobre si debe decidirse por la guerra contra la coalición de emperadores y reyes o bien por la paz. Luis XVI, por su parte, no está decidido; ve el riesgo de que venzan los revolucionarios, presiente el peligro de una derrota. Los partidos también están indecisos. Los girondinos insisten en la guerra para mantenerse en el poder. Robespierre y los jacobinos luchan por la paz para que entre tanto venga el poder a sus manos. Crece cada día la tensión, los periódicos polemizan con artículos vibrantes, se discute en los clubs, circulan los rumores más diversos y la opinión va excitándose cada día que pasa. Y como siempre que apremia una determinación, se experimenta una especie de liberación cuando por fin, el 20 de abril, el rey de Francia declara la guerra al emperador de Austria y al rey de Prusia. La tensión dominante en París durante aquellas semanas ha sido penosa y descorazonadora. Pero en las ciudades fronterizas todavía era mayor la inquietud. En todos los pueblos se van alistando voluntarios, se equipa a los guardias nacionales, se acondicionan las fortalezas. En Alsacia no se ignora que, como siempre, se realizará allí el primer encuentro. El enemigo se halla en las orillas del Rin; no es como en París, que parece que sea simplemente algo abstracto, meramente patético y retórico, sino que allí es una realidad evidente y palpable, ya que desde un extremo del puente, desde el campanario de la catedral, pueden divisarse los regimientos prusianos que se acercan. Durante la noche, el viento trae el rumor producido por el rodar de la artillería, el ruido de las armas, el toque de las cornetas, mientras puede contemplarse el claro de luna sobre el legendario Rin. Sabe todo el mundo que basta una orden, un simple decreto, para que de los cañones prusianos, hasta entonces en silencio, surja el mortífero fuego y empiece de nuevo la lucha milenaria entre Francia y Alemania, esta vez en nombre de la nueva libertad por un lado y del antiguo orden por el otro.

Día extraordinario, pues, aquel 25 de abril de 1792, en que los correos de París traen a Estrasburgo la noticia de la declaración de guerra. Inmediatamente, las excitadas gentes se vuelcan en calles y plazas. Marcialmente desfila toda la guarnición en postrer despliegue, regimiento tras regimiento. En la Plaza Mayor les espera el alcalde, Dietrich, con su fajín tricolor y la escarapela en el sombrero, y saluda a los soldados. Tambores y cornetas imponen silencio. Con tonante voz, Dietrich lee, en esta y las demás plazas de la ciudad, la declaración de guerra en francés y en alemán. Al terminar sus últimas palabras, las bandas militares ejecutan la primera canción de guerra de la Revolución, dominante entonces, el *Ça ira*, que es en realidad una melodía bailable, excitante y alegre, retozona, pero que infunde un aire marcial al desfile de las tropas. La multitud se dispersa por fin y vuelve a sus casas con el entusiasmo patriótico propio de tal acontecimiento. En los clubs y en los cafés se pronuncian enardecidos discursos. Se reparten proclamas: *Aux armes, citoyens! L'etendard de la guerre est deployé! Le signal est donné!* Y así, por todas partes, en los discursos, en los periódicos, en las pancartas y en las conversaciones de la gente, se repiten las mismas palabras: *Aux armes, citoyens! Qu'ils tremblent donc, les despotes couronnées! Marchons, enfants de la liberté!*, y una y otra vez la masa se exalta al escuchar y gritar tan fogosas palabras.

Aunque callejeramente se manifiesten estas explosiones entusiásticas, existen también en la intimidad de los hogares, en el círculo familiar, voces más bajas, menos exultantes. El miedo y la preocupación acompañan asimismo a una declaración de guerra. En todas partes hay madres que se preguntan si los soldados enemigos asesinarán a sus hijos, y campesinos que temen por sus haciendas, sus campos y sus casas, por su ganado, por sus cosechas. El enemigo asolará el fruto de su trabajo, pisoteará los sembrados, destruirá sus hogares, empapará de sangre sus tierras. Pero el alcalde de Estrasburgo, el barón Federico Dietrich, en realidad un aristócrata que, como la mejor aristocracia de Francia, se ha entregado en cuerpo y alma a la idea de la nueva libertad, sólo desea oír las palabras que manifiestan entusiasmo. Plenamente convencido del triunfo, acude a una fiesta pública. Con la banda cruzada sobre el pecho, va de un lado a otro estimulando al pueblo. Manda repartir vino y comida a los soldados que marchan al frente. Por la noche reúne en su espaciosa casa de la plaza de Broglie a los generales, a los oficiales y a los funcionarios todos, en una fiesta de despedida, a la que el entusiasmo presta de antemano un valor de victoria. Los generales, seguros del triunfo, son los que presiden la mesa. Los oficiales jóvenes, que ven en la guerra su propio sentido de la vida, discurren libremente. Uno enardece al otro. Agitan en alto los sables, se abrazan, brindan... El buen vino los impulsa a pronunciar discursos cada vez más fogosos y electrizantes. Y de nuevo asoman las palabras estimulantes de los periódicos, de las proclamas, de las arengas: «¡A las armas, ciudadanos! ¡Salvemos a la patria! ¡Adelante! ¡Que tiemblen los déspotas coronados! ¡Ahora que hemos enarbolado la bandera tricolor de la victoria, ha llegado el momento de pasearla por el mundo! ¡Todos debemos contribuir a la victoria, por el Rey, por nuestra bandera y por la libertad!» El pueblo entero, todo el país, quiere formar una santa unidad gracias a la fe en el triunfo y llenos de entusiasmo por la causa de la libertad.

De pronto, entre los brindis y los discursos, el alcalde se dirige a un joven capitán de ingenieros llamado Rouget, que está sentado a su lado. Justamente se acuerda entonces que este simpático oficial, medio año antes, a raíz de la promulgación de la Constitución, escribió un bonito himno a la libertad, himno al que Pleyel, el director de la banda del regimiento, puso música. Aquella composición musical, sin pretensiones pero con un estribillo muy pegadizo, la ensayó la banda militar y la ejecutó en la plaza pública, siendo cantada a coro. ¿No sería ahora ocasión, con motivo de la declaración de guerra y de la marcha de las tropas, de hacer algo así? Esto se lo preguntó el alcalde al capitán Rouget, quien se había ennoblecido a sí mismo sin ningún derecho y se hacía llamar ahora Rouget de l'Isle. ¿No le parecía una buena coyuntura para componer un canto al Ejército del Rin, que al día siguiente iba a partir para enfrentarse con el enemigo?

Rouget, aquel hombre modesto e insignificante, que jamás había creído ser un buen compositor (sus poesías nunca fueron impresas y su ópera había sido rechazada), sabe, sin embargo, que su pluma puede componer versos si se presenta la oportunidad. Y, deseoso de complacer al alto funcionario y amigo, se muestra dispuesto a acceder a sus deseos.

— ¡Magnífico, Rouget! — le anima, levantando su copa, cierto general sentado frente a él, rogándole que le envíe al frente la composición tan pronto la haya terminado —. Si termina, procure que sea una canción vibrante, que exalte el patriotismo de los soldados.

Entre tanto empieza un nuevo discurso otro de los comensales. Nuevamente se cruzan brindis, se arma mucho ruido y se bebe enormemente. El entusiasmo general produce un ritmo creciente de frenesí, hasta que, después de la medianoche, los invitados dejan la casa del alcalde.

* * *

Pasó el 25 de abril. Estamos en el 26. Reina la oscuridad en las casas, pero el bullicio y el jolgorio prosiguen aún en las calles. Dentro de los cuarteles, los soldados se preparan para la marcha, mientras algunos precavidos quizá se disponen secretamente a desertar tras los cerrados postigos de sus viviendas. Por las calles desfilan pelotones aislados, y de vez en cuando se escucha el ruido de los cascos de algún ca-

ballo cuyo jinete es portador de un despacho urgente. Luego
atruena de nuevo algún pesado convoy de artillería, y una
y otra vez se repite monótonamente el grito de los centine-
las de puesto a puesto. La gente no puede dormir. El enemigo está demasiado cerca. Por todas partes cunde la excitación, pues el momento es decisivo.

También Rouget participa del sentimiento general en su
morada de la Grande Rue, núm. 126. No ha olvidado su
promesa de componer rápidamente una marcha, un canto
de guerra para el Ejército del Rin. Inquieto, pasea de una
parte a otra de su aposento. ¿Cómo empezar la composición?
¿Cómo? Aún resuenan en sus oídos las frases vibrantes de
las proclamas, los discursos, los brindis: *Aux armes, citoyens! Marchons, enfants de la liberté! Ecrasons la tyrannie!
L'étendard de la guerre est deployé:* Pero también recuerda
las otras palabras oídas al pasar, las voces de las mujeres
que tiemblan por sus hijos; la preocupación de los labradores, que temen por los campos de Francia, que serán asola-
dos y abandonados con sangre si llegan a ser invadidos. E
inconscientemente escribe las primeras líneas, que no son
más que un eco, una repetición de aquellos llamamientos:

> *Allons, enfants de la patrie,*
> *le jour de gloire est arrivé!*

Entonces interrumpe su trabajo. El principio suena bien.
Ahora falta dar con el ritmo debido, que la melodía corres-
ponda al texto. Echa mano de su violín y ensaya en él unas
notas. Y, ¡oh maravilla!, desde los primeros compases el
ritmo se ajusta a las palabras. Continúa escribiendo apresuradamente, arrastrado ya por la poderosa corriente que le
impulsa. En un instante afluyen a su memoria todos los sentimientos desatados en aquella hora decisiva, las palabras
oídas en el banquete, el odio a los tiranos, los temores por
la tierra natal, la fe en la victoria, el amor a la libertad.
Rouget no necesita inventar ni discurrir; sólo le falta rimar
cuanto ha escuchado aquel día. Ni necesita componer, porque a través de los cerrados postigos le llega el ritmo de la

calle, del momento presente; el ritmo del tesón y del reto que es cifra en la marcha de los soldados, en el toque de las cornetas, en el estrépito del paso de los cañones. Acaso no sea él quien lo percibe, no sea su despierto oído el que lo capta, sino el genio del momento que por esta noche se ha adueñado de su espíritu. Y cada vez más dócilmente, obedece la melodía al martilleante y exultante compás, que es el latido del corazón de todo un pueblo. Rouget va escribiendo apresuradamente, y siempre con brío e ímpetu crecientes, las estrofas, las notas. Tiene dentro de sí la fuerza de un desconocido huracán. Escribe como si un viento impetuoso lo empujara. Es una exaltación, un entusiasmo, que no son precisamente suyos, sino propios de cierta mágica energía que los ha comprimido en un solo y explosivo segundo, haciendo que el insignificante aficionado sobrepase su propia talla, llegando a un nivel mil veces más elevado y disparándole como un cohete (esplendorosa llama de un segundo) hasta las estrellas. Por una noche le ha sido concedido al capitán Rouget de l'Isle la hermandad con los inmortales. Las palabras casualmente escuchadas al pasar entre la gente o casualmente leídas en los periódicos, reiteradas en sus líneas iniciales, se convierten en el tema de su creación y forman la letra de una estrofa tan imperecedera como la melodía a la que se ajustan:

> *Amour sacré de la patrie,*
> *conduis, soutiens nos bras vengeur;*
> *liberté, liberté chérie,*
> *combats avec tes défenseurs.*

Luego viene la quinta estrofa, la última, que, enlazando las palabras con la música, constituye el final del impresionante himno. No han aparecido aún las grises tonalidades del alba cuando queda terminado el canto inmortal. Rouget apaga la luz y se echa en la cama. Algo, no sabe qué, le ha elevado hasta experimentar una extraña claridad de los sentidos que jamás conociera antes, y algo le derrumba ahora en torpe agotamiento. Su sueño es tan profundo como el de

la muerte. Y, en efecto, en él había muerto el creador, el poeta, el genio. Pero sobre la mesa quedó la obra terminada, desligada de su propia personalidad. No es probable que se repita en la historia de los pueblos el hecho de que nazca tan rápidamente una canción en la que se encuentren tan magníficamente acopladas letra y música.

* * *

Las campanas de la catedral anuncian como siempre el nuevo día. El viento que viene del otro lado del Rin trae el eco de los primeros disparos. Ha empezado la lucha. Rouget se despierta. Sacude el sueño con esfuerzo. Sabe que le ha ocurrido algo, pero no se acuerda. De pronto mira sobre la mesa y contempla su obra. «¿Versos? ¿Cuándo escribí yo estos versos? ¿Música, y con anotaciones mías? ¿Cuándo la compuse? ¡Ah, sí, es la canción que me encargó Dietrich, la marcha para los tropas del Rin!» Lee sus versos, tararea su melodía, pero, a pesar de todo, no se siente demasiado seguro de su obra. Con él vive un compañero de regimiento, al cual le enseña el himno y se lo canta. El amigo queda satisfecho y le indica solamente algunas modificaciones. Esta primera aprobación de su obra le infunde cierta desconfianza. Con la natural impaciencia de todo autor y satisfecho por haber cumplido tan rápidamente su promesa, se encamina en seguida a casa del alcalde, al que halla dando su habitual paseo matutino por el jardín, mientras va componiendo mentalmente un nuevo discurso.

— ¿Cómo, Rouget? — se asombra al entregarle la obra —. ¿Ya está compuesta? Pues vamos a ensayarla ahora mismo.

Y ambos pasan al salón de la residencia. Dietrich se sienta al piano para acompañar, y Rouget canta. Atraída por la inesperada música matinal, entra en la estancia la esposa de Dietrich y promete hacer varias copias de la canción, e incluso, gracias a su excelente preparación musical, procurarle el acompañamiento para que en la tertulia de aquella misma noche pueda ser estrenada entre otras canciones. El señor alcalde, buen tenor, se encarga de estudiar el himno, y por fin, la noche del 26 de abril, el mismo día en que había quedado terminado el himno, el alcalde lo canta por vez primera ante una escogida concurrencia.

El auditorio aplaudió cortésmente, y no faltaron las consabidas felicitaciones al autor. Pero, claro, los huéspedes del Hôtel de Broglie, en la Gran Plaza de Estrasburgo, no se enteraron de que una melodía perdurable había acariciado por vez primera sus oídos, pues rara vez se les alcanza a los contemporáneos la auténtica magnitud de un personaje o de una obra. Prueba de ello fue la carta que la señora Dietrich escribió a su hermano, en la que relata el prodigio dándole el carácter de un simple acontecimiento.

«Tú sabes — le escribió — que solemos recibir mucha gente en casa y que siempre hay que inventar algo para amenizar la reunión. Por eso mi marido tuvo la idea de mandar componer un himno. El capitán Rouget de l'Isle, del Cuerpo de Ingenieros, buen poeta y músico, compuso rápidamente una canción de guerra. La interpretó mi propio esposo, que tiene una buena voz de tenor, y, efectivamente, resultó muy bien. Yo, por mi parte, puse los conocimientos musicales que poseo al servicio de la orquestación de ese himno y arreglé la partitura para piano y otros instrumentos, lo cual me dio mucho trabajo. Se ejecutó por fin en nuestra casa y tuvo mucho éxito entre la concurrencia.»

Estas últimas palabras «tuvo mucho éxito entre la concurrencia» nos parecen hoy excesivamente frías. Pero traslucen la pura realidad, ya que en el reducido ámbito de aquella tertulia no pudo desplegar «La Marsellesa» la fuerza arrolladora que contenía. «La Marsellesa» no es ninguna pieza de encargo para lucimiento de una buena voz de tenor ni está destinada a alternar con romanzas y arias italianas en un salón de la pequeña burguesía. Es un canto vibrante, una llamada a las armas dirigida a una masa, a un pueblo; su orquesta deben ser las armas, los regimientos en marcha. No fue compuesta para oyentes que estuvieran tranquilamente sentados, sino para ser coreada por soldados y guerreros. No se compuso para que la cantara una soprano o un tenor, sino una ingente multitud, como marcha, como canto ejemplar de victoria, de muerte, algo que recordara a la patria, que fuera el himno nacional de un pueblo. Fue el entusiasmo lo que dio vida, antes de que cundiera por todas partes y que su melodía llegase al alma de la nación, que la conocieran las tropas, que la Revolución la adoptara como suya.

* * *

Como todos los demás, ni el mismo Rouget presiente lo que será la creación de aquella noche. Se alegró, claro está, de que los invitados la hubieran aplaudido y le agasajasen como autor. Con su vanidad de hombre insignificante, procura sacar partido de este éxito en su ambiente provinciano. Canta su himno a sus camaradas en los cafés, envía copias a los generales del Ejército del Rin. Entre tanto, por orden del alcalde y consejo de las autoridades militares, la banda de música de Estrasburgo estudió «La canción de guerra para el Ejército del Rin», hasta que, cuatro días más tarde, al marcharse las tropas, la interpretó en la Gran Plaza. Por patriotismo, un editor estrasburgués quiso editar este canto de guerra, que había sido dedicado al general Luckner por su subordinado con todo respeto. Pero a ninguno de los generales del Ejército del Rin se le ocurre hacer que efectivamente sean los soldados quienes vayan cantando la marcha creada para ellos, o entonando la música, y así sucede que, como todos los demás intentos llevados a cabo por Rouget, el éxito de salón obtenido por *Allons, enfants de la patrie,* parece quedar reducido a eso mismo, al triunfo de una noche, a un acontecimiento provinciano, que será pronto olvidado.

Sin embargo, a la larga, la fuerza latente de una obra lograda no queda jamás oculta para siempre. Una obra de arte puede quedar olvidada de momento, puede ser prohibida, enterrada, pero lo perdurable siempre acaba por triunfar sobre lo efímero. Durante un par de meses deja de escucharse la «Canción de guerra para el ejército del Rin». Los ejemplares impresos y manuscritos quedan abandonados o van pasando por indiferentes manos. Pero basta que una obra llegue a suscitar verdadero entusiasmo en unos cuantos hombres, pues todo entusiasmo auténtico consigue darle ímpetu a la creación.

En el otro extremo de Francia, en Marsella, el «Club de los Amigos de la Constitución» ofrece un banquete a los voluntarios que van al frente. Sentados alrededor de una larga mesa hay quinientos jóvenes con los nuevos uniformes, experimentando la misma fiebre patriótica que en Estrasburgo en aquel famoso 25 de abril, pero con más ardor, más apasionamiento, como es propio del carácter meridional de los marselleses, aunque no estén tan envanecidos ni tan convencidos de la victoria como en aquel otro momento de la declaración de guerra. Contrariamente a lo que aseguraban aquellos generales, las tropas revolucionarias francesas no pasaron el Rin. Al contrario, el enemigo penetró en territorio francés, viéndose amenazada, verdaderamente en peligro, la causa de la libertad.

De repente, en pleno banquete, un tal Mireur, estudiante de Medicina de la Universidad de Montpellier, levantó su copa. Todos callaron y le miraron, esperando un discurso, una arenga. Pero, en vez de ello, adelanta el joven la diestra y empieza a entonar una canción, una nueva canción, desconocida por todos, que no sabían cómo ni dónde la había aprendido: el *Allons, enfants de la patrie.* Y como si fuera una chispa que prendiera en un polvorín, todos se sintieron embargados por inenarrable emoción. Todos aquellos jóvenes dispuestos a morir por la patria, por la libertad, que debían marchar al otro día al frente, encuentran en aquellas palabras sus más íntimos anhelos, sus más determinantes ideas. El ritmo de aquel himno los arrebata en un entusiasmo sin límites. Son aclamadas delirantemente una estrofa tras otra. Con las copas en alto cantan todos repetidamente: «*Aux armes, citoyens! Formez vos bataillons.*» En la calle, la gente se detiene curiosa para oír aquel himno que se canta con tanto entusiasmo, entusiasmo que acaba prendiendo en ellos también, hasta que finalmente unen sus voces al coro de los voluntarios. Al día siguiente es conocido ya por miles de franceses. Una nueva edición lo divulga más todavía, y los quinientos voluntarios que el 2 de julio se van a la guerra lo llevan impreso en su mente y en su corazón. Cuando los fatiga la marcha, cuando el paso se hace cansino, basta que alguno de ellos se ponga a entonar el nuevo himno para que su estimulante compás les dé a todos nuevos bríos. Al pasar por un pueblo, los campesinos los escuchan maravillados y corean el himno con ellos. «La Marsellesa» se ha convertido en su canción. Han adoptado aquel himno ignorado que fue creado para el Ejército del Rin y sin tener siquiera idea de quién es su autor, como algo propio de su batallón, como una profesión de fe que ha de acompañarlos hasta la muerte. Les pertenece como la bandera, y están dispuestos a llevarlo por el mundo en arrollador avance.

El primer éxito lo tuvo «La Marsellesa», que así se llamará pronto el himno de Rouget, en París. El 30 de junio desfila el batallón de voluntarios por los *faubourgs*, con la bandera desplegada y el himno en los labios. Miles y miles de personas esperan en las calles para rendirle homenaje, y cuando los quinientos marselleses avanzan cantando al unísono el vibrante himno que acompasa su marcha, la multitud escucha estremecida. ¿Qué himno es aquel que traen los marselleses? Asombroso clamor de trompetas que se adentra en todos los corazones, acompañado del redoble de los tambores. ¿Qué significa aquel grito de «*Aux armes, citoyens*»? Unas horas más tarde, la canción de Rouget se oye por todas partes. Se olvidó el *Ça ira*, como las otras marchas, los gastados estribillos: la Revolución ha reconocido su propia voz, la Revolución ha encontrado su himno.

Como un alud, que no puede detenerse, se difunde ahora aquel himno, irresistible en su carrera triunfal. Se canta en los banquetes, en los teatros, en los clubs. En pocos meses «La Marsellesa» se ha convertido en la canción del pueblo de todo el ejército. Luego incluso se canta en las iglesias después del *Tedeum*, hasta llegar a sustituirlo. Servan, el primer ministro republicano de la Guerra, reconoce con astuta visión la fuerza tónica exaltadora de tan extraordinaria canción de guerra y ordena que urgentemente se envíen cien mil ejemplares de aquella composición a todos los cuarteles generales, y al cabo de pocas noches la obra del desconocido, «La Marsellesa», se ve más difundida que todas las obras de Molière, Racine y Voltaire. No hay fiesta ni batalla que no empiece o acabe con «La Marsellesa», el himno de la libertad. En Jempaes y Nerwinden se disponen los regimientos a cantarlo a coro para el asalto decisivo. Los generales enemigos, que sólo pueden estimular a sus soldados con la vieja receta de darles doble ración de aguardiente, ven con horror que no disponen de nada capaz de contrarrestar la fuerza explosiva de aquel «terrible» himno, cuando, entonado a la vez por millares de voces, irrumpe como oleada rugiente sobre sus propias filas. En todas las batallas de Francia resuena «La Marsellesa», exaltando a los combatientes y suscitándoles el desprecio a la muerte, como Niké, la alada diosa de la victoria.

Mientras, en una pequeña guarnición de Hüningen, un capitán de ingenieros virtualmente desconocido, apellidado Rouget, va diseñando concienzudamente defensas y fortificaciones. Quizás ha olvidado ya el himno de guerra del Ejército del Rin, que compuso durante aquella memorable madrugada del 2 de abril de 1792, y ni siquiera llega a sospechar ahora, al leer en los periódicos que aquel otro himno ha entusiasmado a París entero, que esa «Canción de los Marselleses» sea, palabra por palabra y con minuciosa exactitud musical, la maravilla por él creada aquella noche histórica. Y es, ¡oh cruel ironía del destino!, esa melodía cuya grandeza se remonta a los cielos, que asciende pujante hasta las estrellas, la que deja de ejercer su poder de exaltación en un solo hombre, precisamente en el hombre que la concibió. Nadie en toda Francia se preocupa del capitán Rouget. El mayor de los prestigios que puede conseguir una canción sigue favoreciendo a ésta, sin que ni sombra de él recaiga sobre su creador, Rouget. Ya no se imprime siquiera su nombre como autor de la letra; incluso su persona hubiera pasado inadvertida por completo a los ojos de los dueños de la situación, de no comportarse y actuar de acuerdo con sus sentimientos, pues, ¡oh paradoja genial que sólo puede permitirse la Historia!, el creador del himno de la Revolución no tiene nada de revolucionario. Por el contrario, aquel que como ningún otro impulsó la Revolución con su canto inmortal, querría ahora reprimirla. Cuando los marselleses y el populacho de París, con «su canción» en los labios, asaltan las Tullerías y hacen abdicar al Rey, Rouget de l'Isle está ya harto de tanto horror. Se niega a prestar juramento a la República y prefiere abandonar su carrera antes que servir a los jacobinos. Las palabras de la *liberté chérie*, la amada libertad de su himno, no son palabras huecas para este hombre sincero: desprecia a los nuevos tiranos y déspotas de la Convención no menos que a las testas coronadas de allende la frontera. Abiertamente expresa su desafecto al Comité de Salud Pública cuando van siendo conducidos a la guillotina su amigo Dietrich, alcalde de Estrasburgo, el padrino de «La Marsellesa»; el general Luckner, a quien había sido dedicada, y todos los demás oficiales y aristócratas que fueron sus primeros oyentes en aquella noche memorable, y entonces se da la grotesca situación de que el poeta de la Revolución es detenido como contrarrevolucionario y se le procesa, a él precisamente, acusado de traidor a la patria. Sólo el noveno Termidor, que con la caída de Robespierre abre las cárceles, ha ahorrado a la Revolución francesa la vergüenza de haber entregado a la «navaja nacional» la cabeza del poeta que compuso el inmortal himno.

De todos modos, ésta hubiera sido una muerte heroica, acaso preferible al angustioso desvanecerse en la sombra que el destino deparaba a Rouget. Más de cuarenta años, o sea millares de días, sobrevive el desgraciado Rouget a la única jornada creadora de su vida. Le despojaron del uniforme y de la pensión. Los poemas, las óperas y las canciones que escribe ni se imprimen ni se representan. El destino no le perdona al aficionado el haberse colado entre las filas de los inmortales sin haber sido llamado a ellas. Aquel pobre hombre pasa su vida entregado a pequeños negocios. En vano intentan ayudarle Carnot y más tarde Bonaparte. Hay algo en el carácter de Rouget que ha quedado irremisiblemente envenenado y amargado por la crueldad de aquel destino que le permitió ser un dios, un genio, por espacio de tres horas, para devolverle luego a su propia insignificancia. Zahiere y se querella contra todos los poderosos. Escribe a Bonaparte, que deseaba ayudarle, unas cartas patéticas y desvergonzadas, pues se jacta de haber votado en contra suya en el plebiscito. Sus negocios van derivando hacia turbios derroteros, y por no poder pagar una letra tiene que ingresar en la cárcel de Santa Pelagia. Mal visto en todas partes, acosado por los acreedores, vigilado constantemente por la policía, se oculta finalmente en algún lugar perdido de provincias, para, desde allí, separado y olvidado de todos, ir siguiendo el destino de su canción inmortal. Llegó a ver como «La Marsellesa» irrumpía por todos los países europeos con el victorioso ejército, y luego que Napoleón, apenas convertido en emperador, la hace borrar de todos los programas por considerarla demasiado revolucionaria, siendo los Borbones, por último, quienes la prohíben completamente. Pero el amargado anciano se sorprende cuando, tras una generación, la revolución de julio de 1830 hace resucitar su letra y su melodía en las barricadas de París y el rey burgués, Luis Felipe, le otorga una pensión como autor de ella. Le parece un sueño que se acuerden de él, y cuando, a la edad de setenta y seis años, fallece en Choisy-le-Roi en 1836, ya nadie cita ni conoce su nombre.

Tiene que pasar de nuevo toda una generación para que se desencadene la guerra mundial, y entonces, mientras «La Marsellesa», convertida ya desde hace tiempo en himno nacional, va resonando con bélico enardecimiento por todos los frentes de Francia, se ordena que el cadáver del insignificante capitán Rouget sea exhumado para ser enterrado nuevamente en los Inválidos, como se hizo con el pequeño teniente Bonaparte. Y por fin descansa el en vida olvidado autor de un himno inmortal en el mausoleo de las figuras ilustres de su patria, con el dolor de no haber sido más que el poeta de una noche.

AQUEL MINUTO EN WATERLOO

NAPOLEÓN, 18 DE JUNIO DE 1815

LA estrella del destino rige a los poderosos y a los violentos. Durante años se convierte en la esclava servil de un solo hombre. Como sucedió con Alejandro, César y Napoleón.

Rarísimas veces, en el espacio de los tiempos, impulsada por su caprichosa veleidad, se entrega al azar a un cualquiera. Rarísimas veces — momentos maravillosos de la historia de la Humanidad — el hilo de los hados se detiene un instante en la indiferente mano de un hombre que se siente más asustado que feliz ante la borrasca de responsabilidades que le empuja entonces a tomar parte en el heroico espectáculo del mundo, y la mano deja escapar el hilo que había retenido unos segundos. Son poquísimos los que se dan cuenta de ese azar y lo aprovechan para elevarse. Efímero es el momento en que la grandeza se entrega a los pusilánimes, y la suerte no volverá a ellos por segunda vez.

GROUCHY

En medio de los bailes, de los galanteos cortesanos, de las intrigas y discusiones del Congreso de Viena suena como un cañonazo la noticia de que Napoleón, el desterrado en la isla de Elba, había huido de allí y se encontraba en Francia. Uno tras otro van llegando los mensajes: ha conquistado Lyón y expulsado al Rey; fanáticamente van las tropas a su encuentro; ya está otra vez en París, en las Tullerías. Han sido inútiles Leipzig y los veinte años de guerras homicidas. Asustados, los intrigantes ministros ya no pueden discutir. Se apresuran a ponerse de acuerdo en aquel momento de peligro para todos. Se organiza rápidamente el ejército inglés, el austríaco, el prusiano y el ruso, cuyo único objetivo es destruir definitivamente el poder del usurpador: jamás estuvo Europa tan unida como en aquellos momentos de pánico. Desde el Norte se dirige Wellington contra Francia; Blücher, con su ejército prusiano, se acerca para ayudarle; Schwarzenberg toma posiciones en el Rin, y los pesados y lentos regimientos rusos, formando las reservas, pasan por Alemania. Le basta a Napoleón una sola mirada para darse cuenta del peligro mortal que le acecha. Sabe que no puede perder tiempo, que no debe esperar a que sus enemigos se reúnan. Es preciso dividirlos, atacarlos por separado, a los prusianos, a los ingleses, a los austríacos, antes de que se conviertan en homogéneo ejército europeo y produzcan el hundimiento de su Imperio. Ha de apresurarse; en su propio país, los enemigos se despiertan. Debe vencer antes de que los republicanos cobren más fuerza y se unan a los realistas, antes de que el hipócrita y enigmático Fouché, de acuerdo con Talleyrand, émulo suyo, destruya a su espalda la victoria. En un impulso trascendental debe aprovechar el delirante entusiasmo de sus tropas para arremeter contra el enemigo. Cada día significa una pérdida, en cada hora se oculta un peligro. Por eso no vacila en tirar los dados sobre el campo de batalla más ensangrentado de Europa: Bélgica. El 15 de junio, a las tres de la madrugada, la vanguardia del grande y único ejército de Napoleón pasa la frontera. El 16, la emprenden ya contra los prusianos y los hacen retroceder. Es el primer zarpazo del león que se siente en libertad, zarpazo terrible pero no mortal. Vencido pero no aniquilado, el ejército prusiano se retira hacia Bruselas.

Retrocede Napoleón para asestar el segundo golpe contra Wellington. No tiene tiempo de tomar aliento; cada día que pasa supone un refuerzo para el enemigo. Además, detrás de él está el pueblo francés, cuyo ánimo necesita mantener con victoriosos partes de guerra. El 17, todavía marcha con

todo su ejército hasta las alturas de Quatre-Bras, donde
Wellington, el frío enemigo de nervios de acero, se ha atrin-
cherado. Jamás fueron las disposiciones de Napoleón más
meditadas, más claras sus órdenes como en aquel día; no
sólo piensa en el ataque, sino que prevé también sus peligros, y no se le pasa por alto la posibilidad de que el ejército
de Blücher, que aunque derrotado no estaba deshecho, pueda unirse al de Wellington. Para impedir esto destaca una
parte de su ejército con la misión de que, paso a paso, vaya
alejando a las huestes prusianas e impida su unión con los
ingleses.

El mariscal Grouchy es el encargado de realizar esa operación. Se trata de un hombre de mediana inteligencia, rec-
to, valiente, de toda confianza; un buen jefe de probado valor, pero nada más que un buen jefe. No es un guerrero
arrojado e impetuoso como Murat, ningún estratega como
Saint-Cyr y Berthier, ningún héroe como Ney. No ostenta
condecoraciones, no está aureolado por ningún mito de hazañas legendarias, no hay en él nada destacado que acuse su
personalidad en aquel mundo heroico napoleónico. Sólo le
han dado nombre sus desgracias y sus fracasos. Luchó durante veinte años, desde España hasta Rusia, de Holanda a
Italia, y alcanzó su graduación de mariscal lentamente, aunque no inmerecidamente, sin ningún hecho extraordinario en
su historia militar. Las balas austríacas, el sol de Egipto, los
puñales árabes, los hielos de Rusia, fueron aniquilando a sus
camaradas: Desaix en Marengo, Kleber en El Cairo, Lannes
en Wagram. No conquistó la ruta hacia la dignidad suprema, sino que le fue deparada por sus veinte años de campaña.

Napoleón sabe perfectamente que en Grouchy no tiene
ningún estratega, sino un hombre de confianza, valiente y
sereno. Pero la mitad de sus mariscales yacen bajo tierra,
y los que quedan están desalentados y viven retirados en
sus moradas, hartos de la vida de campaña. Por eso se ve
precisado a confiar una acción decisiva a un hombre de
medianas condiciones.

El 17 de junio, a las once de la mañana, un día después

de la victoria de Ligny, uno antes del desastre de Waterloo, Napoleón confía al mariscal Grouchy por primera vez una acción independiente. En un segundo, aquel militar modesto se integra a la historia universal. Unos instantes solamente, sí, pero ¡qué instantes! Concreta es la orden de Napoleón. Mientras el mismo Emperador ataca a los ingleses, corresponde a Grouchy perseguir con un tercio del ejército a los prusianos. Orden sencilla en apariencia, precisa e inconfundible, pero flexible quizá y de dos filos, como una espada, puesto que, con dicho mandato, Grouchy queda obligado a mantenerse constantemente unido al grueso del ejército.

Con cierta vacilación, el mariscal se hace cargo del mando. No está acostumbrado a obrar por cuenta propia; su prudencia, carente de iniciativa, sólo se siente segura cuando la mirada genial del Emperador le indica la actitud que debe tomar. Luego barrunta el descontento de sus generales y quizá también algún golpe inesperado del destino. Sólo le tranquiliza la proximidad del cuartel general; tres horas escasas de marcha le separan del ejército del Emperador.

Grouchy se despide en medio de una lluvia torrencial. Después, lentamente, hundiendo los pies en el fango, avanzan sus soldados tras las huellas prusianas, o al menos en la dirección que suponen ha tomado Blücher.

LA NOCHE DE CAILLOU

Continúa cayendo una lluvia nórdica. Como rebaño empapado de agua marchan en la oscuridad los regimientos de Napoleón. El barro dificulta el paso. No hay donde cobijarse, ni techo ni casa alguna. La paja está demasiado mojada para echarse en ella. Los soldados se reúnen en grupos y duermen sentados, espalda con espalda, bajo la despiadada lluvia. El Emperador mismo no descansa; está dominado por un nerviosismo febril, pues los reconocimientos fracasan debido al mal tiempo; los informes de los exploradores son muy confusos. Ignora si Wellington se dispone a atacar y no tiene la menor noticia de Grouchy acerca de los prusianos. A la una de la madrugada, despreciando la lluvia, que sigue cayendo torrencialmente, el Emperador sale a recorrer las avanzadas. En la lejanía, a un tiro de cañón, se distingue, a través de la niebla, el amortiguado resplandor de las luces del campamento inglés. Al despuntar el alba vuelve a su pequeña cabaña de Caillou, su modesto cuartel general, donde encuentra los primeros partes de Grouchy. Son noticias poco claras respecto a la retirada de los prusianos, pero con la promesa tranquilizadora de que continuarán siendo perseguidos. Poco a poco va cesando la lluvia.

El Emperador va y viene, impaciente, por la habitación; luego se detiene a la entrada de la casuca y fija la mirada en el horizonte, esperando que el velo que cubre la lejanía se descorra y permita tomar una decisión.

A las cinco de la mañana deja de llover. Se disipan también los nubarrones de la duda. Circula la orden para que, a las ocho, todo el ejército esté dispuesto para entrar en combate. Redoblan los tambores, y los enlaces a caballo galopan en todas direcciones. Napoleón se echa entonces en su lecho de campaña para dormir un par de horas.

LA MAÑANA DE WATERLOO

Son las nueve de la mañana. Las tropas no están todavía del todo reunidas. El terreno, enfangado por la lluvia, que ha caído sin cesar durante tres días, dificulta el avance de la artillería. Lentamente se levanta el sol, y sus primeros rayos brillan acompañados de un cortante viento. No es aquel sol de Austerlitz, ardiente y lleno de promesas, sino un sol pálido de nórdicos resplandores. Por fin están dispuestas las tropas, y, antes de empezar la batalla, Napoleón recorre el frente montado en su blanca yegua. Como impelidas por un violento vendaval se inclinan hacia el suelo las águilas de todas las banderas, los jinetes blanden sus sables y los infantes levantan sus peludos gorros en las puntas de las bayonetas. En honor del Emperador redoblan frenéticamente los tambores; las trompetas lanzan al espacio sus vibrantes notas, pero todos aquellos estridentes sonidos quedan apagados por el grito delirante que resuena como un trueno por encima de las tropas, que sale de setenta mil gargantas a la vez: *«Vive l'Empereur!»*

Jamás ninguna revista militar, durante los veinte años napoleónicos, fue tan magnífica y entusiástica como ésta. La última. Cuando cesaron los vítores eran las once — tres horas más tarde de lo previsto, tres horas de retraso fatal —. Se ordena a la artillería que concentre el fuego sobre las «guerreras rojas» que ocupan la colina, pues Ney, *le brave des braves*, avanza ya al frente de los infantes. Comienza la hora decisiva para Napoleón. Incontables veces ha sido descrita esta batalla, pero nunca nos cansamos de leer sus emociones alternativas en la descripción magnífica de Walter Scott o en el estupendo relato de Stendhal. Se contempló de cerca y de lejos, lo mismo desde la colina donde se encuentra el Emperador, a distancia, como de cerca, sobre la silla de coracero. Obra maestra de tensión y de dramatismo, que va de la angustia a la esperanza, y que, de repente, se transforma en un momento catastrófico, símbolo de una verdadera tragedia. En el destino de un hombre está vinculada la suerte de Europa entera. Ese asombroso castillo de fuegos artificiales que fue toda la existencia de Napoleón chisporrotea en lo alto, una vez más, para iluminar, por un instante, la inmensidad del cielo con el fulgor de sus cohetes y extinguirse luego para siempre. Desde las once hasta la una, los regimientos franceses asaltan las alturas, toman pueblos y posiciones, tienen que retroceder, pero vuelven a atacar. Ya son diez mil los cadáveres que cubren aquella fangosa y desierta tierra, pero nada se ha conseguido. Los dos ejércitos están agotados, exhaustos; los dos generales se muestran inquietos. Todos saben que la victoria será de aquel que reciba antes refuerzos, Wellington de Blücher, Napoleón de Grouchy. El Emperador coge, nervioso, el catalejo y envía continuamente mensajeros. Si el mariscal llega a tiempo, volverá a brillar sobre Francia el sol de Austerlitz.

La falla de Grouchy

Sin darse cuenta él mismo, Grouchy tiene en sus manos la suerte de Napoleón. Cumpliendo las órdenes recibidas, partió al atardecer del 17 de junio y tras los prusianos en la dirección que creyó habrían seguido. La lluvia había cesado y, como si marcharan por tierras sin enemigos, los jóvenes soldados que hasta el día anterior no habían venteado la pólvora no ven aparecer por ninguna parte al adversario ni descubren la menor huella del ejército prusiano.

De repente, mientras el mariscal toma un ligero refrigerio en una casa de campo, notan que el suelo se estremece bajo sus pies. Prestan atención, y llega hasta ellos un sordo, continuo y amortiguado rumor. Son cañones que disparan a una distancia de tres horas. Algunos oficiales se echan al suelo y pegan el oído en él como hacen los indios, para poder precisar la dirección del cañoneo. Su eco retumba apagado y lejano. Son las baterías de Saint-Jean, es el principio de Waterloo. Grouchy reúne a los oficiales en consejo. Gérard, el jefe de su Estado Mayor, exclama con ardimiento:

— ¡Hay que ir a buscar esos cañones!

Otro oficial apoya esa opinión gritando:

— ¡Vamos por ellos inmediatamente!

Ninguno duda que el Emperador ha dado ya con los ingleses y que ha comenzado una dura batalla. Pero Grouchy está indeciso. Acostumbrado a obedecer, se atiene a las instrucciones recibidas, a la orden imperial de perseguir a los prusianos en su retirada. Gérard, ante el titubeo del mariscal, insiste con vehemencia:

— ¡Vayamos por los cañones!

Y para los veinte oficiales, aquellas palabras suenan como una orden, como una súplica. Pero Grouchy no está conforme con la sugerencia. Vuelve a decir terminantemente que él no puede dejar de cumplir su obligación mientras no llegue una contraorden del Emperador. Los oficiales se sienten decepcionados, escuchando en el expectante silencio el lejano retumbar de los fatídicos cañones.

Entonces Gérard intenta un último recurso. Suplica que se le permita acudir al campo de batalla con su división y unas cuantas piezas de artillería, comprometiéndose a regresar a tiempo. Grouchy reflexiona durante un momento.

LA HISTORIA DEL MUNDO EN UN MOMENTO

Grouchy reflexiona un momento, y ese momento decide su propio destino, el de Napoleón y el del mundo entero. Aquel momento transcurrido en una casa de campo de Walheim decide todo el siglo XIX. Aquel momento — que encierra la inmortalidad — está pendiente de los labios de un hombre mediocre pero valiente; se halla entre las manos que estrujan crispadamente la orden del Emperador. ¡Oh, si en aquellos instantes Grouchy fuera capaz de arriesgarse audazmente, de desobedecer las órdenes recibidas por convencimiento propio ante los hechos, Francia estaría salvada! Pero aquel mediocre y apocado hombre se limita a atenerse a la disciplina. Es incapaz de escuchar la voz del destino.

Por eso Grouchy se niega enérgicamente. Sería un acto de insensatez dividir más aún un cuerpo de ejército que ya se halla dividido. Su misión es perseguir a los prusianos, sólo eso. Los oficiales no replican. Un penoso silencio se hace alrededor del jefe. Y en aquellos instantes se le escapa irremediablemente lo que ya ni palabras ni hechos podrán restablecer: Wellington ha vencido.

Prosigue el avance. Gérard y Vandôme, comidos por la rabia; Grouchy, intranquilo y a cada momento menos seguro, pues, cosa curiosa, no se ve el menor vestigio del ejército prusiano, que parece haber abandonado la idea de marchar sobre Bruselas. De pronto, unos emisarios traen noticias sospechosas de que la retirada del enemigo se ha convertido en una marcha de flanco hacia el campo de batalla. Aún habría tiempo de correr en auxilio del Emperador, pero Grouchy continúa esperando la contraorden, cada vez más inquieto y preocupado. Sin embargo, no llega. Retumban sin cesar los cañones. La tierra tiembla: son los dados de hierro que decidirán la batalla de Waterloo.

La tarde de Waterloo

Es ya la una. Se han lanzado cuatro ataques, que han removido sensiblemente el centro de Wellington. Napoleón se prepara para el asalto decisivo. Manda reforzar las baterías de Belle-Alliance, y antes de que se desvanezca la cortina de humo que cubre las colinas dirige una última mirada al campo de batalla.

Y entonces descubre que por la parte del Noroeste, una oscura y amplia sombra parece surgir de los bosques. ¡Son nuevas tropas! Todos los catalejos se concentran en aquel punto. ¿Será Grouchy que, inspiradamente, ha desobedecido sus órdenes y se presenta providencialmente en el instante decisivo? No, un prisionero cree que se trata de fuerzas prusianas, de la vanguardia del general Von Blücher. El Emperador sospecha por primera vez que el ejército alemán ha burlado la persecución y va a unirse con los ingleses, mientras sus propias fuerzas maniobran inútilmente. Acto seguido envía un mensaje a Grouchy ordenándole que mantenga el contacto a toda costa y evite que los prusianos intervengan en la batalla.

El mariscal Ney recibe al mismo tiempo orden de atacar. Hay que rechazar a Wellington antes de que lleguen los prusianos: nada parece temerario ante la incertidumbre de la situación. Toda la tarde se suceden los furiosos ataques en la llanura, con incesantes refuerzos de infantería, que toma por asalto las aldeas destruidas; flamean las banderas sobre la ola napoleónica que arremete contra el agotado enemigo. Pero Wellington continúa resistiendo y no llega ninguna noticia de Grouchy. «¿Dónde está Grouchy? ¿Dónde espera?», murmura nerviosamente Napoleón, viendo que la vanguardia prusiana va interviniendo progresivamente en la lucha. Sus mariscales también se impacientan. Y resueltamente, para acabar de una vez, el mariscal Ney, tan temerario como Grouchy prudente — ha perdido ya tres caballos en la batalla —, lanza a toda la caballería francesa a un ataque conjunto. Diez mil coraceros y dragones emprenden la terrible carrera de la muerte, destruyen cuadros, arrollan a los artilleros y penetran en las primeras filas enemigas. Son rechazados otra vez, pero la fuerza de los ingleses toca a su fin, el dominio que ejercían sobre aquellas colinas empieza a ceder. Y cuando la diezmada caballería francesa retrocede ante las descargas de fusilería, avanza la última reserva de Napoleón, de un modo lento y grave: es la vieja guardia que marcha a conquistar la colina de cuya posesión depende el destino de Europa.

La decisión

Cuatrocientos cañones truenan por ambas partes desde la mañana. La planicie se estremece al choque de la caballería con las tropas adversarias, que lanzan torrentes de fuego al redoble enardecedor de los tambores. Pero arriba, en lo alto de ambas colinas, los dos caudillos permanecen impasibles ante el ruido de aquella terrible tempestad humana. Están pendientes de otro sonido más apagado: el tic-tac de los relojes, que late como el corazón de un pájaro en sus respectivas manos, marcando el tiempo, indiferentes a los hombres que combaten. Napoleón y Wellington no separan los ojos de sus cronómetros: cuentan las horas, los minutos que han de traerles los esperados refuerzos decisivos. Wellington sabe que Blücher está cerca. Napoleón espera a Grouchy. Ninguno de los dos cuenta con más fuerzas de reserva. Las que lleguen antes decidirán la victoria. Junto al bosque empieza a distinguirse la polvorienta nube de la vanguardia prusiana. Napoleón y Wellington están pendientes de aquel enigma. ¿Se trata sólo de algunos destacamentos? ¿Es el grueso del ejército que ha escapado de Grouchy?

Los ingleses resisten con sus últimas fuerzas, pero también los franceses están exhaustos. Los dos ejércitos, jadeantes, permanecen frente a frente; como dos luchadores dejan caer ya los debilitados brazos y contienen la respiración antes de acometerse por última vez.

Por fin retumban los cañones por el flanco de los prusianos, se vislumbran destacamentos, se oye el ruido de la fusilería. «¡Por fin llega Grouchy!», suspira Napoleón. Confiando en que tiene el flanco asegurado, reúne a sus hombres y se lanza otra vez contra el centro de Wellington, para romper el anillo inglés que guarda Bruselas y hacer volar la puerta de Europa.

Pero aquel fuego de fusilería no ha sido más que una desorientadora escaramuza. Desconcertados los prusianos por unos uniformes desconocidos, centran el fuego sobre los de Hannóver, pero inmediatamente se dan cuenta de su lamentable confusión y en poderoso alud salen de la espesura del bosque. No, no es Grouchy quien se acerca con sus tropas, sino Blücher, y con él la fatalidad. La noticia se difunde rápidamente entre las tropas imperiales, y empiezan a replegarse, pero conservando el orden todavía. Wellington, que comprende en seguida la crítica situación del adversario, galopa hasta la falda de la colina tan eficazmente defendida y agita el sombrero sobre su cabeza, señalando al enemigo que retrocede. Aquel gesto de triunfo es comprendido por sus hombres y, en un supremo esfuerzo, se lanzan contra la desmoralizada masa. Simultáneamente, la caballería prusiana ataca por el flanco al destrozado ejército, y se oye el grito demoledor de «¡Sálvese quien pueda!» En pocos minutos, el gran ejército, como un incontenible torrente, impelido por el terror, arrastra incluso a Napoleón. La caballería enemiga penetra en aquel torrente convertido ya en agua mansa e inofensiva para ella, donde pesca fácilmente el coche del caudillo francés, los valores del ejército, toda la artillería abandonada en aquella espuma de angustia y desesperación. El Emperador puede salvar la vida y la libertad sólo al amparo de la noche. Pero aquel hombre que, sucio, desconcertado, medio muerto de fatiga, se deja caer del caballo a la puerta de una miserable posada, ya no es un emperador. Su imperio, su dinastía, su suerte, se han desvanecido. La falta de decisión de un hombre mediocre ha derrumbado el magnífico edificio que construyera en veinte años el más audaz y genial de los mortales.

RETORNO AL DÍA

Apenas el ataque inglés ha derribado a Napoleón, un desconocido va en una calesa por el camino de Bruselas y de allí al mar, donde un barco espera ya al viajero. Se dirige a Londres. El desconocido llega a la capital antes que los correos extraordinarios y consigue, gracias al total desconocimiento de la sensacional noticia, hacer saltar la Bolsa. Aquel hombre es Rotschild, que con esta hazaña genial funda un nuevo imperio, una nueva dinastía. Al día siguiente se conoce la victoria en Inglaterra. En París, Fouché, el eterno traidor, se entera de la derrota. En Bruselas y en Alemania se lanzan a vuelo las campanas de la victoria.

Sólo un ser no sabe nada a la mañana siguiente del desastre de Waterloo, aunque se encuentra sólo a cuatro horas de distancia del lugar memorable. Es el desgraciado Grouchy. Siempre fiel a las órdenes recibidas, continúa marchando en persecución de los prusianos. Pero como no los encuentra por ninguna parte, se desconcierta y flaquea su ánimo. Los cañones no cesan de tronar a poca distancia, cada vez más fuerte, como si pidieran auxilio. Cada disparo que hace temblar la tierra parece hundirse en el corazón. Todos saben con certeza que no se trata de un simple cañoneo, sino de una gran batalla : la batalla final.

Nerviosamente cabalga Grouchy entre sus oficiales, que evitan toda discusión con él, ya que sus consejos fueron rechazados.

Cerca de Wabre dan por fin con un cuerpo de ejército prusiano, de la retaguardia de Blücher, que se ha fortificado en aquel lugar. Rabiosos lánzanse contra las trincheras. Gérard va a la cabeza de sus hombres, como si, poseído de un fatídico presentimiento, buscase la muerte. Cae derribado por un balazo y enmudece para siempre la voz que podía

reprochar. Al llegar la noche, los franceses se hacen dueños de la población, pero todos comprenden que aquella pequeñísima conquista ya no tiene ninguna importancia, pues allá lejos, en el campo de batalla, reina un helado y profundo silencio, una angustiosa quietud, una paz de muerte. Todos comprenden que era mil veces mejor el oír tronar los cañones que no la incertidumbre que ahora los consume. La terrible batalla, según todos los indicios, ha debido de terminar, pero ¿a favor de quién se ha decidido?

Y esperan toda la noche inútilmente. No llega ningún mensajero. Se diría que el gran ejército los ha abandonado, y se hallan allí sin objeto ni razón alguna. Con la aurora levantan los campamentos y reemprenden la marcha, agotados y plenamente convencidos de que ya de nada sirven sus avances y maniobras. Por fin, a las diez de la mañana, llega a galope tendido de su caballo un oficial del Estado Mayor. Le ayudan a desmontar y le asedian a preguntas. Pero él, con la faz descompuesta, los sudorosos cabellos pegados a las sienes, presa de una extraordinaria excitación, murmura unas palabras ininteligibles que nadie puede ni quiere comprender. Creen que delira cuando les dice que ya ni hay Emperador ni ejército imperial, que Francia está perdida. Pero poco a poco pueden arrancarle coordinadamente ya la triste narración. Grouchy, demudado, se apoya tembloroso en su sable; se da plena cuenta de que empieza en aquel instante el martirio de su vida. Pero con hombría asume para sí toda la responsabilidad. El hombre irresoluto y disciplinado que en el momento supremo no supo reaccionar como exigían las circunstancias, ahora, cuando se encuentra ante el peligro próximo, se conduce casi como un héroe. Reúne inmediatamente a todos los oficiales y, con los ojos llenos de lágrimas de rabia y de dolor, les dirige una alocución en la cual se acusa de su indecisión, que trata de justificar. Los oficiales, que ayer le miraban con rencor, le escuchan en silencio. Podrían acusarle y vanagloriarse de ser ellos los que estaban en lo cierto, pero nadie se atreve ni quiere hacerlo. La desesperación les hace enmudecer. Y precisamente en esa hora, demasiado tarde ya, pues ha dejado perder irremisiblemente el supremo instante, es cuando Grouchy demuestra todas sus aptitudes militares. Sus virtudes, su prudencia, su habilidad, su circunspección y escrupulosidad se hacen evidentes cuando se siente dueño de sí mismo y no al servicio de una orden escrita. Rodeado por fuerzas cinco veces superiores a las suyas, emprende la retirada de sus tropas a través del enemigo, merced a una habilísima maniobra estratégica, sin perder ni un solo hombre ni un solo cañón. Y así salva el último ejército del Imperio y de Francia. Pero a su regreso ya no hay un emperador que se lo agradezca ni un enemigo a quien desafiar. Llegó demasiado tarde. Jerárquicamente, asciende al ser nombrado general en jefe y par de Francia, cargos que desempeña con tacto y pericia, pero nada podrá hacerle recuperar aquel instante en que fue dueño del destino y no supo aprovecharlo.

Tremenda venganza del «momento supremo», de ese momento que de cuando en cuando se presenta a los mortales, entregándose al hombre anodino que no sabe utilizarlo. Las virtudes ciudadanas, la previsión, la disciplina, el celo y la prudencia, valores magníficos en circunstancias normales del vivir cotidiano, se diluyen, fundidas por el fuego glorioso del instante del destino que exige el genio para poder plasmarlo en una imagen imperecedera.

El vacilante es rechazado con desprecio. Únicamente los audaces, nuevos dioses de la tierra, son encumbrados por los brazos del destino al cielo de los héroes.

LA ELEGÍA DE MARIENBAD

GŒTHE, ENTRE KARLSBAD Y WEIMAR, 5 DE SEPTIEMBRE DE 1823

Eᴌ 5 de septiembre de 1823, una silla de posta rodaba lentamente por la carretera de Karlsbad hacia Eger. Era una de esas frías mañanas otoñales; el viento soplaba violentamente, arrastrando los rastrojos de los campos, y el cielo aparecía límpido hasta la lejanía del horizonte.

En la calesa viajaban tres hombres: Von Gœthe, consejero secreto del gran ducado de Sajonia-Weimar (así constaba pomposamente en la lista de bañistas de Karlsbad), y sus dos incondicionales: Stadelmann, el viejo sirviente, y John, el secretario, copista de sus obras creadas en el nuevo siglo. Los dos subalternos no pronuncian palabra alguna desde que salieron de Karlsbad (donde los despidieron unas muchachas cariñosamente con besos), para no turbar los pensamientos del anciano poeta, que permanece inmóvil, sin abrir los labios, revelando su ensimismada mirada su actividad interior. Al detenerse la diligencia en la primera parada de la posta, el poeta baja del carruaje, y sus dos acompañantes pudieron advertir que escribía rápidamente con lápiz algunas palabras en un librito de notas, operación que se repitió durante todo el trayecto hasta llegar a Weimar. Tanto en Zwotau como en el castillo de Hartenberg al día siguiente, como en Eger y luego en Pössneck, continúan sus anotaciones. En su diario dice lacónicamente: «He seguido trabajando en el poema» (6 de septiembre), «El domingo continué escribiendo en el poema» (7 de septiembre), «Durante el viaje he seguido escribiendo en el poema» (12 de septiembre). En Weimar, donde termina el viaje, pone fin a su obra. Se trata nada menos que de la *Elegía de Marienbad*, la creación poética más significativa, más íntimamente personal y, por ello, la predilecta del anciano. Es la heroica despedida, es el renacimiento digno de un héroe.

En una de sus conversaciones, Gœthe mismo llamó a esa poesía «diario de la vida anterior». Quizá ninguna de las páginas de su diario nos parece tan clara, tan plena de significado, en su origen y en su gestación, como este documento íntimo que supone una trágica interrogación y un dramático reflejo de lo más entrañable de sus sentimientos. Ninguna producción lírica de su juventud surgió de un modo tan directo de un hecho; ninguna otra de sus obras puede seguirse desde el principio, estrofa por estrofa, momento por momento, como este canto maravilloso, como este hondísimo poema floreciendo en el invierno de una vida, cuando el gran poeta contaba setenta y cuatro años.

En contraposición a Eckermann, Gœthe lo calificó de un estado eminentemente pasional, y revela un desconcertante dominio de la forma; es, al mismo tiempo, claro y misterioso, y el instante más ardiente de su vida aparece plasmado de modo imperecedero. Nada hay en esa obra que se haya marchitado, empañado, cuyo sentido quede oscurecido; nada palidece en esas páginas magistrales de una vida tan fecunda en sublimes delirios, a pesar de haber transcurrido más de cien años. Aquel 5 de septiembre emocionará aún durante siglos a las generaciones alemanas venideras.

* * *

Sobre esa página, sobre ese hombre, sobre ese poema y sobre esa hora brilla la maravillosa estrella del resurgimiento. En febrero de 1822, Gœthe sufre una grave enfermedad; una fiebre altísima que debilita su cuerpo, y durante largas horas permanece en la más completa inconsciencia. Los médicos iban a ciegas, pues no podían descubrir la causa del mal a través de los síntomas que presentaba. Sólo se daban perfecta cuenta del peligro. Pero de repente, del mismo modo que se presentó, desaparece la enfermedad. En junio, Gœthe, completamente repuesto, se traslada a Marienbad. Parecía que aquella dolencia sólo había sido el síntoma de un rejuvenecimiento interior, una nueva «pubertad». El hombre que se había ido endureciendo al correr de los años, el poeta que se había ido convirtiendo lentamente en un erudito, vuelve a percibir la voz que no oía hacía años: la voz del sentimiento. La música, como él mismo dice, despierta sus emociones, y las lágrimas afluyen a sus ojos cuando escucha la interpretación al piano de una obra por la hermosa Szymanoweska. Sigue a la juventud ansiosamente; sus compañeros, sorprendidos, ven como aquel anciano septuagenario pasa las noches galanteando a las damas, y como, después de largos años de «inacción», vuelve a bailar, y, como él mismo dice, «en los cambios de pareja me encontraba siempre con lindas muchachas». Aquel rígido ser se ha fundido en un verano como por arte de algún hechizo, y su espíritu rejuvenecido se siente envuelto en el eterno encanto de la vida. Indiscretamente nos habla su diario de «sueños conciliadores»; en él se despierta el antiguo «Werther». Se siente inspirado junto a las damas y renacen las breves poesías, los juegos de palabras, como le sucediera medio siglo atrás con Lilí Schönemann. Vacila en la elección de sus nuevos amores. Su rejuvenecido corazón se inclina primero por la bella Polin y luego por Ulrika de Levetzow, de diecinueve años. Hace quince había amado con veneración a la madre de esta muchacha, y un año antes acariciaba paternalmente a la hija de aquella mujer, que ahora se convierte en pasión, en una pasión que, como otra enfermedad, se apodera de todo su ser, sumiéndole en el volcán de la vida sentimental como antaño.

El anciano se conduce como un colegial; apenas oye la juvenil voz, suspende el trabajo y, sin sombrero ni bastón, corre al encuentro de la muchacha. La corteja con el ardimiento de un hombre joven, y ofrece el más grotesco de los espectáculos, con su poco de ridículo y su mucho de trágico. Después de consultar a su médico, Goethe confiesa su pasión al más viejo de sus camaradas, al gran duque, rogándole que solicite en su nombre a la señora Levetzow la mano de su hija Ulrika. Y el gran duque, sonriendo al recuerdo de las orgías vividas con él hace cincuenta años, y acaso sintiendo cierta envidia de aquel hombre a quien no sólo Alemania, sino toda Europa, veneran como a un sabio, como al espíritu más diáfano y profundo del siglo, el gran duque adorna su pecho con todas sus condecoraciones y va a pedir a una madre la mano de su hija de diecinueve años para un anciano de setenta y cuatro. Nada sabemos en concreto de la respuesta. Parece que fue evasiva y dilatoria. El pretendiente quedó sumido en la incertidumbre. Sólo consigue besos fugaces, palabras cariñosas, mientras el deseo acucia cada vez más su pasión. Impaciente, lucha por conquistar el favor, y sigue a la amada hasta Karlsbad, para hallar allí también la incertidumbre. Al terminar el verano aumenta su tortura. Llega el momento de la despedida sin haber conseguido promesa alguna, sin haber oído más que vagas esperanzas. Al arrancar el carruaje, siente que en su vida acababa de romperse algo inmensamente entrañable. El anciano queda solo con su compañero: el dolor. Pero el genio se inclina sobre él para confortarle, y aquello que ya no lo puede hallar en la tierra, se lo pide a Dios. Y de nuevo Gœthe, esta vez será la última, huye de la realidad para refugiarse en la poesía. Con una exaltación maravillosa de gratitud, el anciano escribe aquellos versos de su poema *Tasso* que compusiera cuarenta años antes, para darle nueva y asombrosa vida: «Y cuando el hombre se hunde en el dolor acercadle a Dios para que pueda expresarle su aflicción.»

Mientras rueda el carruaje, el poeta permanece pensativo sin que sus íntimas preguntas obtengan respuesta. Todavía aquella mañana, Ulrika había acudido con su hermana a despedirle: su juvenil y amada boca le besó. Pero aquel beso ¿no sería una simple muestra de ternura, de afecto filial ¿Podrá amarle? ¿Le olvidará? Y su hijo, y su nuera, que ansían la importante herencia, ¿tolerarán aquel matrimonio ¿No se burlará de él la gente? Dentro de un año, ¿no será ya un ser decrépito? Si logra volver a verla, ¿qué puede esperar ya de aquella entrevista?

Se hace todas estas preguntas lleno de inquietud. Y, de pronto, una de ellas, la principal de todas, cristaliza en un verso y, envuelta en el dolor, se convierte en poesía, ya que Dios le concedió el poder «expresar su aflicción». Inmediata mente, el grito de tristeza se vierte sobre el papel, y dice:

«¿Volveré a ver a esa flor todavía en capullo? El paraíso y el infierno están abiertos ante mí, y mi alma se debate infinitamente angustiada.»

Y el dolor se convierte en claras y maravillosas estrofas, purificado por la angustia. El poeta, con el alma perdida en la íntima confusión de su ser, en aquella «bochornosa atmósfera», contempla desde el coche el plácido paisaje de Bohemia envuelto en la luz mañanera, cuya suave serenidad contrasta poderosamente con su profundo desasosiego, y las imágenes que le brinda aquel ambiente brotan nimbadas de poesía:

«¿No quedan aún los gigantescos muros del mundo? ¿No están coronados por sagradas sombras? ¿No maduran las espigas? ¿No ríen los prados extendiendo sus verdes y aterciopeladas alfombras hasta los arroyos? ¿No aparece la inmensidad del mundo con todas sus imágenes fecundas y estériles?»

Pero a ese mundo le falta alma. En aquel momento pasional no puede comprender el universo sin estar unido a la imagen de la mujer amada, y el recuerdo de esa imagen se construye mágicamente en el sublime poema con transparente y renovada belleza:

«¡Oh, qué vaga y exquisita, qué diáfana y sutil imagen semejante a un serafín flotando entre nubes en el éter! Así has visto danzar a la más amada entre las amadas imágenes.

»Que por un momento te sea permitido mecer este sueño entre tus brazos. En el corazón conservaré tus múltiples imágenes, siempre la misma y siempre transfigurada por mil matices, pero cada vez más amada.»

Apenas evocada la imagen de Ulrika, la imagina ya en su forma real. Describe el poeta cómo le acogió y cómo le fue «dando poco a poco la felicidad»; cómo, después del último beso, le dio otro, realmente el «postrero», y aquel recuerdo dicta al maestro una de las más puras estrofas que hayan podido escribirse sobre la abnegación y el amor:

«En nuestro pecho nace una pura aspiración hacia algo elevado, limpio, desconocido: hacia algo que es un eterno enigma, y a eso nos entregamos atendiendo la voz del agradecimiento. Yo comprendo la grandeza sagrada de ese anhelo cuando me es permitido contemplar su imagen.»

Pero justamente el recuerdo de aquellos momentos felices hace que el pobre abandonado sienta más su soledad; entonces, el dolor surge con tal fuerza que casi rompe el ritmo de la maravillosa composición poética en un arrebatado estallido de sentimientos:

«¡Qué lejos estoy! ¿Qué me dice el actual instante? No puedo saberlo. Me ofrece la serena belleza, pero me aplasta y me faltarán las fuerzas. Me noto envuelto en un delirio angustioso, y ni siquiera las lágrimas podrán aliviarme.»

Luego el poeta sigue elevándose — aunque parezca imposible que pueda ascender más —, y brota el último grito, el más desgarrador:

«¡Abandonadme aquí, fieles compañeros de mi camino! Dejadme solo entre las rocas y el musgo, solo en el campo. Continuad vuestro camino: la amplia tierra y el inmenso cielo son vuestros. Contemplad, indagad: el secreto del mundo fructificará para vosotros.

»Lo he perdido todo, me he perdido a mí mismo. Antes era el favorito de los dioses y me dieron la Caja de Pandora, llena de riquezas y de peligros. No me negaron nada de cuanto les pedí. ¡Pero ahora me han abandonado y me siento hundido en el abismo!»

Jamás había brotado de Gœthe, de temperamento tan reservado, una estrofa así. De joven sabía disimular; ya hombre, supo contenerse. Siempre envolvía sus secretos más íntimos en imágenes, cifras y símbolos. Ahora, ya en la ancianidad, da rienda suelta por primera vez a sus sentimientos. Desde hacía cincuenta años, el gran poeta lírico, el hombre sensible que había en él, no se había revelado de una manera tan clara como en estas páginas inolvidables, en ese momento crucial de su vida. Así, misteriosamente, como una extraordinaria gracia del destino, llegó a Gœthe la inspiración de ese poema. Al llegar a Weimar, antes de dedicarse a cualquier otro asunto, se puso a copiar personalmente su obra. Como un monje recluido en su celda, se pasó tres días en su habitación escribiendo el poema en letras grandes, claras, para darle más relieve, cuidando de ocultarlo a sus familiares más íntimos y demás personas de su confianza, como si se tratara de un precioso secreto. Incluso lo encuadernó él mismo, para que ninguna indiscreción lo divulgase antes de tiempo. Ató el manuscrito con una cinta de seda y lo guardó en la carpeta de piel roja, que más adelante sería sustituida por una tela azul, como puede verse hoy en los archivos de Goethe y de Schiller.

Los días transcurren monótonos y deprimentes. Sus planes matrimoniales han sido acogidos con burlas por la familia. El hijo se ha dejado llevar por un arrebato de indignación. Sólo por medio de la poesía que fluye de su alma puede comunicarse con la mujer amada. Y hasta que la bella Polin y la Szymanowska reanudan sus visitas no recupera el poeta la disposición de ánimo de los días de Marienbad. Al fin, el 2 de octubre se decide a llamar a Eckermann. La solemnidad con que se dispone a empezar la lectura demuestra el gran amor que siente por aquella composición.

El subordinado coloca dos candelabros sobre la mesa; luego le hace sentar cerca de la luz, para que le lea la elegía. No sin dificultad son admitidas también algunas otras personas, las más íntimas, como oyentes, pues Goethe, según palabras de Eckermann, «considera su obra como un sagrado». La significación trascendental que tuvo aquel poema en la vida del poeta lo demostraron los meses siguientes. Al bienestar del rejuvenecimiento no tarda en presentarse la decrepitud. La muerte parece próxima. Sus días transcurren entre la cama y el sillón. Sus horas están llenas de inquietud; la nuera se ha ido de viaje, el hijo se muestra frío e indiferente. Nadie cuida al pobre y abandonado anciano. Entonces, llamado urgentemente por sus amigos, llega Zelter a Berlín. Es el íntimo de Goethe y, al verle, se da cuenta en seguida de la situación. «Me parece un hombre — escribe lleno de asombro — que tiene el amor metido en el cuerpo, con todos los febriles tormentos propios de la juventud.» Para distraerle, lee y vuelve a releer «con íntima compasión» su propio poema, que Goethe no se cansa de escuchar. Luego Goethe, otra vez convaleciente, le escribe: «Es sin-

gular que tú me hicieras sentir, a través de tu sensibilidad
de una manera clara, el grado de este amor mío, muy supe
rior a lo que yo mismo imaginaba.» Y a continuación añade
«Si vinieras aquí, tendrías que releérmelo muchas veces
hasta que lo aprendiese de memoria.»

Y Zelter, que escribe bellamente, dice: «Se curó con l
misma lanza que le había herido.» Gœthe se salva— pued
decirse así — gracias a esta elegía. Se esfuma el sueño d
una vida conyugal con la amada «hijita». Nuestro poet
sabe que jamás volverá ya a Marienbad ni a Karlsbad,
aquel alegre mundo de gente que van allí a divertirse. D
ahora en adelante dedicará su vida al trabajo. El hombr
a quien tentara el destino renuncia a aquel renacimient
En lugar de ello aparecen en su esfera unas nuevas pal
bras que contienen gran trascendencia. Éstas: acabar, com
pletar. Dirige una seria mirada a su obra, que comprend
sesenta años de labor artística, y, al verla desarticulad
desperdigada, decide, ya que no puede seguir edificand
dedicarse a recopilarla. Entonces cierra el contrato de su
Obras completas y se reserva los derechos. Su amor, que s
había extraviado momentáneamente, vuelve a sus dos com
pañeros de juventud, *Wilhelm Meister* y *Faust*. Y animos
se entrega a la obra. En las amarillentas páginas renace
siglo que se fue. Antes de cumplir los ochenta años termin
los *Años de aprendizaje*. Y a los ochenta y uno emprend
el gran negocio de su vida, *Faust*, que acaba siete años de
pués de los trágicos y decisivos días, ocultándolo a los oj
del mundo con la respetuosa piedad que ocultara la *Eleg*

Entre las dos esferas de su vida afectiva, entre su últim
anhelo y el último renunciamiento, entre el principio y
fin, encontramos una especie de línea divisoria, como m
mento inolvidable de sus íntimos sentimientos, el 5 de se
tiembre, la despedida de Karlsbad, y la despedida del am
convertida en eternidad en un desolado lamento. Debem
llamar memorable ese día y evocarlo respetuosamente
cabo de un siglo, pues, a partir de esa fecha, la poesía a
mana no ha tenido otro momento cuya grandeza supere
torrente de pasionales sentimientos que encierra ese poem

EL DESCUBRIMIENTO DE ELDORADO

EL DESCUBRIMIENTO DE HIDDGADO

J. A. SUTER, CALIFORNIA, ENERO DE 1848

Nos hallamos en el año 1834. Un vapor americano zarpa de El Havre hacia Nueva York. Entre los desesperados que van a bordo se encuentra uno llamado Juan Augusto Suter, natural de Reynenberg, cerca de Basilea (Suiza), de treinta y un años de edad, a quien le corre prisa marcharse para librarse de la justicia europea. Acusado de quiebra fraudulenta, de robo y de falsificación, ha abandonado a su esposa y a sus tres pequeños hijos. Valiéndose de falsa documentación, se ha hecho en París con algún dinero, para emprender aquel viaje en busca de una nueva existencia. Desembarca por fin en Nueva York el 7 de julio, y allí se dedica a toda clase de negocios posibles e imposibles; fue embalador, tendero, dentista, traficante en drogas, tabernero.

Cuando al fin consigue estabilizarse en el país, adquiere una posada, pero al poco tiempo vuelve a venderla, para dirigirse a la máxima atracción de aquellos tiempos: el Misouri. Allí se convierte en agricultor y, poco después, llega a ser dueño de una pequeña granja o rancho. Hubiera podido vivir tranquilo, pero continuamente pasan por delante de su hacienda infinidad de traficantes en pieles, cazadores, aventureros y soldados que van y vienen del Oeste, despertando en él con sus historias un irresistible deseo de probar de nuevo fortuna marchándose allí también.

Como es sabido, primero se hallan las estepas, con enor-

mes rebaños de búfalos, inmensos desiertos que durante día
y días, semanas y semanas, no se ven animados por la pre
sencia del hombre, a no ser el dueño de la llanura, el pie
roja. Luego vienen las montañas, altísimas, inexploradas,
después, por fin, se encuentra aquella tierra nueva, de la
cual nadie sabe nada a ciencia cierta, pero cuyas riqueza
son fabulosas. Esa tierra es California. Tierra donde manan
generosas, la leche y la miel, tierra que se halla a disposición
de quien la quiera tomar. Está lejos, inmensamente lejos,
la empresa de alcanzarla, preñada de peligros.

Pero por las venas de Juan Augusto Suter corre sangr
aventurera. No puede hacerse a la vida tranquila, al cultiv
apacible del suelo. Un buen día, en 1837, vende su hacienda
organiza una expedición con carros, caballos y rebaños d
búfalos y, partiendo de Fort Independence, se dirige teme
rariamente hacia lo desconocido.

La marcha hacia California

Nos hallamos ya en 1838. Con Suter, dos oficiales, cinc
misioneros y tres mujeres parten en carros tirados por búfa
los hacia el desierto infinito, en dirección al océano Pacífic
a través de las inacabables estepas, teniendo que franquea
por último las montañas, con las molestias y penalidade
inherentes a tamaña aventura. Al cabo de tres meses llega
por fin, a últimos de octubre, a Fort Vancouver. Los oficia
les les dejaron al principio del viaje, las mujeres sucumbie
ron debido a las penalidades sufridas y los misioneros s
niegan a proseguir.

Suter se encuentra solo; en vano intentan hacerle desis
tir de sus proyectos; le ofrecen una colocación en la local
dad, pero él permanece firmemente decidido a realizar el fi
propuesto. El nombre de California se ha convertido en un
obsesión. A bordo de un miserable velero surca el Pacífic
primero hacia las islas Sandwich, para llegar, después d
incontables dificultades, hasta las costas de Alaska y desen
barcar luego en una región abandonada, conocida por Sa

Francisco. No es la ciudad de hoy, que renació después del terremoto y que cuenta con más de un millón de habitantes. No. Es un miserable pueblecito de pescadores que lleva el nombre de la Misión de los franciscanos. Ni siquiera es la capital de aquella desconocida provincia mejicana de California, que, árida y estéril, sumida en el más completo abandono, agonizaba en el corazón de la zona más fértil y ubérrima del Nuevo Continente.

Reinaba allí el desorden, aumentado por la ausencia de toda autoridad, las revueltas, la escasez de animales de tiro y de mano de obra. Sobre todo adolecía de carencia de energías constructivas. Suter alquila un caballo y desciende al fértil valle de Sacramento. Le basta un día para darse cuenta de que allí no sólo hay lugar para una enorme granja, sino para todo un reino. Al día siguiente sigue cabalgando hasta Monterrey, la mísera capital, donde se presenta al gobernador Alvarado, a quien expone sus planes agrícolas en aquel país. Ha traído «canacas» de las islas, trabajadores y diligentes indígenas que le ayudarían a fundar una colonia, a crear una especie de pequeño reino al que llamará Nueva Helvecia.

—¿Por qué Nueva Helvecia? — le pregunta el gobernador.

—Yo soy suizo y republicano — contesta Suter.

—Bien, haga usted lo que quiera. Cuente con una concesión para diez años — le responde el gobernador.

Como se ve, las transacciones se realizaban en aquel tiempo y en aquel lugar sin dilaciones ni formulismos. A mil quinientos kilómetros de distancia de toda civilización, la energía de un solo hombre se valora de otro modo que en su propia patria.

NUEVA HELVECIA

Estamos ya en 1839. Una caravana va marchando lentamente por la orilla del río Sacramento. Delante va Suter, a caballo, con un fusil al hombro; detrás de él, dos o tres europeos; a continuación, ciento cincuenta «canacas» con sus cortas camisas, y luego treinta carros tirados por búfalos con provisiones, semillas y municiones. Detrás van cincuenta caballos, setenta y cinco mulos, vacas y ovejas. Éste es todo el ejército que va a conquistar Nueva Helvecia.

Les precede una especie de inmensa ola de fuego: han quemado los bosques en lugar de talarlos, pues resulta más cómodo. Y apenas se extingue la grandiosa hoguera, humeantes todavía los troncos de los árboles, empieza ya el trabajo.

Se construyen almacenes, se abren pozos. La tierra, que no necesita ser arada, recibe las semillas amorosamente; se construyen empalizadas como rediles para los rebaños. Numerosos colonos abandonan las misiones vecinas y acuden a engrosar la naciente colonia de Nueva Helvecia.

El éxito es gigantesco. Los sembrados producen el quinientos por ciento de beneficio. Los graneros están rebosantes, y las cabezas de ganado se cuentan por millares. Todo esto se ha logrado a costa de grandes dificultades, puesto que hay que defenderse de los indígenas, que continuamente atacan la floreciente colonia. Nueva Helvecia se desarrolla de un modo fantástico. Se construyen canales, molinos, factorías; los barcos surcan los ríos en todas direcciones. Suter ya no es solamente el proveedor de Vancouver y de las islas Sandwich, sino de todos los veleros que hacen escala en California. En vista de la fertilidad de aquella tierra, planta árboles frutales, los hoy famosos frutales de California. Ante el éxito conseguido, hace traer vides de Francia y del Rin, que al cabo de pocos años cubren ya inmensas extensiones. Construye casas y granjas, adquiere en París un piano «Pleyel» y se lo hace traer de Nueva York — ciento ochenta días de viaje —, transportado en un carro tirado por sesenta búfalos a través del continente americano.

Tiene créditos y cuentas corrientes en los más importantes bancos de Inglaterra y Francia, hasta que, a los cuarenta y cinco años de edad, en el cenit de su triunfo, se acuerda que hace catorce abandonó a su mujer y a sus tres hijitos. Les escribe pidiéndole que vayan a su principado. Ahora se siente ya seguro de su fortuna. Se ha convertido en el señor de Nueva Helvecia; es uno de los hombres más ricos del mundo y seguirá siéndolo.

Finalmente, los Estados Unidos se apoderan de aquella descuidada provincia, que hasta entonces había sido posesión mejicana. Todo se halla previsto y asegurado. Dentro de algunos años, Suter será el hombre más opulento de la tierra.

El trágico filón

Hemos llegado ya a enero de 1848. Un día, de repente, se presenta en casa de Suter su carpintero James W. Marshall. Parece muy excitado y solicita ver al dueño. Suter se sorprende, pues el día antes estuvo hablando con él, enviándolo a su granja de Coloma a instalar una nueva sierra mecánica. El hombre ha regresado sin permiso y se halla ante él, excitadísimo. Después de cerrar la puerta del cuarto, Marshall saca del bolsillo un puñado de arena, entre la cual brillan unos cuantos granitos amarillos. El día anterior, cavando un hoyo, encontró aquel extraño metal. Supone que es oro, pero los demás se han burlado de él. Suter coge la arena y la hace analizar: efectivamente, es oro. Decide ir con Marshall a la granja al día siguiente, pero éste, dominado por la terrible fiebre, que en breve contaminará al mundo entero, monta a caballo y cabalga de regreso, en la tempestuosa noche, al lugar del descubrimiento; impaciente, necesita asegurarse de la realidad de su fortuna.

A la mañana siguiente, el coronel Suter se encuentra en Coloma. Por medio de un dique secan el canal e investigan la arena del fondo. Basta coger un cedazo, moverlo un poco, y las brillantes pepitas de oro se destacan de la negra rejilla. Suter reúne a los pocos blancos que conviven con él y les exige su palabra de honor de que guarden el secreto hasta que hayan terminado el montaje de la sierra. En seguida monta a caballo y regresa a su hacienda.

Grandiosas ideas pasan por su imaginación: si su memoria no le es infiel, jamás se encontró el oro en tal abundancia y tan al alcance de la mano. Nunca había aparecido así, en la superficie de la tierra, y esa tierra aurífera es suya, de su exclusiva propiedad. Una sola noche tiene la importancia de muchos años. Suter es el hombre más fabulosamente rico del mundo.

EL FRACASO

¿El hombre más rico? No, el más pobre, el más miserable, el mendigo más decepcionado de la tierra. A los ocho días, el secreto ha sido divulgado. Una mujer — siempre la mujer — se lo contó a un vagabundo y le entregó algunas pepitas. Lo que ocurre entonces es algo inconcebible. Todos los hombres que están a las órdenes de Suter abandonan su trabajo: los herreros dejan la fragua; los pastores, el ganado; los viñadores, las vides; los soldados, las armas. Todos se dirigen como locos a la serrería con cedazos y cacerolas de metal para separar el oro de la arena. En pocas horas, las granjas quedan abandonadas. Las vacas lecheras mugen lastimeramente pidiendo que las ordeñen, pero nadie las atiende y van muriendo. Los búfalos rompen las vallas y huyen a los campos, donde la fruta se pudre en las ramas de los árboles. Ya no se produce queso, se hunden los graneros. Todo el mecanismo de la grandiosa empresa queda paralizado.

El telégrafo difunde a través de mares y continentes la aurífera promesa, y acuden gentes de todas las ciudades y de todos los puertos. Los marineros dejan los barcos; los empleados, las oficinas. Llegan ingentes multitudes procedentes del Este; a pie, a caballo, en carro. Es como una invasión, la plaga de la humana langosta. Son los buscadores de oro. Horda brutal, sin freno de ninguna especie, que no conoce más ley que la fuerza bruta ni más orden que el que impone su revólver. El humano alud se vierte sobre la hasta hace poco floreciente colonia. Nadie se atreve a oponerse a aquellos exasperados hombres que matan las vacas de Suter, derriban los graneros para construirse viviendas con sus maderos, aplastan los cultivos, roban las máquinas. En fin: en pocas horas, Juan Augusto Suter se ha convertido en un

mísero mendigo que, como el rey Midas, se ahoga en su propio oro.

La enloquecedora sed de oro impulsa aquel alud desconocido, que avanza como una tempestad; la noticia se ha difundido por todo el mundo; sólo de Nueva York zarpan cien barcos; de Alemania, de Inglaterra, de Francia, de España, vienen en 1848, 1849, 1850 y 1851 numerosas caravanas de aventureros. Algunos dan la vuelta por el cabo de Hornos, pero a los más impacientes les parece el camino demasiado largo y escogen el más corto y peligroso: van por tierra atravesando el istmo de Panamá. Una avisada compañía se decide rápidamente a construir un ferrocarril a través del istmo, en cuya obra perecen miles de obreros atacados por las fiebres, sólo por ahorrar tres o cuatro semanas a los impacientes y que puedan alcanzar antes el precioso metal. Caravanas inmensas atraviesan el continente; son hombres de todas las razas, de todas las lenguas, y todos se instalan en las propiedades de Juan Augusto Suter, como si fueran suyas. En la tierra de San Francisco, que según la escritura en regla que obra en su poder le pertenece a él, surge con una rapidez asombrosa una auténtica ciudad. Gentes extranjeras venden y compran entre sí los terrenos que son de Juan Augusto Suter, y el nombre de Nueva Helvecia, su reino y su dominio, desaparece borrado por el nombre maravilloso de Eldorado, California.

Juan Augusto Suter, otra vez en quiebra, contempla, paralizado, aquella terrible devastación. Al principio intenta tomar parte en las excavaciones y aprovecharse, con sus servidores y compañeros, de aquella inesperada riqueza; pero todos le abandonan. Entonces se aparta del aurífero distrito, instalándose en una granja solitaria, el Ermitaje, en la falda de la montaña, lejos de aquel río maldito y de aquella maldita arena. Allí se reúnen por fin con él su esposa y sus tres hijos, ya hombres; pero la pobre mujer muere al poco tiempo de llegar, agotada por las penalidades del terrible viaje. Pero le quedan sus tres hijos, que, con él, suman ocho brazos para el trabajo, y Suter empieza de nuevo la explotación agrícola. Secundado por sus hijos, trabaja tenaz e intensamente, entregado a la obra, favorecido por la asombrosa fertilidad de aquella tierra. Entonces imagina un nuevo y grandioso plan, cuyo secreto guarda celosamente.

EL PROCESO

Corre el año 1850. California está incorporada ya a los Estados Unidos del Norte de América. Bajo su severa disciplina se ha restablecido por fin el orden en el país del oro. Se domina la anarquía e impera de nuevo la ley.

Entonces, Juan Augusto Suter se presenta de repente pretendiendo hacer valer sus derechos. Declara que el suelo donde se construyó la ciudad de San Francisco le pertenece legítimamente. El Estado, por lo tanto, está obligado a indemnizarle por los daños y perjuicios causados a raíz del robo de su propiedad. Además, reclama la parte que le corresponde por todo el oro extraído de sus dominios. Aquello da lugar al más colosal proceso que vieran los tiempos. Juan Augusto Suter acusa a 17.221 colonos de haber ocupado sus tierras de labor y les exige que desalojen la invadida propiedad; reclama veinticinco millones de dólares al Estado de California, en concepto de indemnización, por haberse apropiado de caminos, canales, puentes, balsas y molinos, que fueron construidos a sus propias expensas. Pide otros veinticinco mil como reparación de los bienes destruidos. Ha enviado a su hijo mayor, Emilio, a Wáshington a estudiar Derecho, para llevar adelante el proceso, y emplea los enormes beneficios de sus nuevas explotaciones agrícolas (factorías, granjas) en la tramitación judicial. Ésta dura cuatro años y es condenado con costas en todas las instancias, hasta que por fin, el 15 de marzo de 1855, se pronuncia el fallo. El incorruptible juez Thomson, el primer magistrado de California, reconoce oficial y jurídicamente los derechos de Juan Augusto Suter sobre el suelo de su antigua propiedad como plenamente justificados e inalienables.

Nuestro héroe vuelve a hallarse en la cumbre de la gloria otra vez. Es el hombre más rico del mundo.

EL FINAL

¿El hombre más rico del mundo? No. El mendigo más pobre. El más desdichado de los mortales. El destino le asesta un nuevo golpe, esta vez mortal, que le aniquilará definitivamente. Al divulgarse la noticia del fallo del Tribunal estalla un impresionante motín en San Francisco y en todo el país. Millares de personas se agrupan en actitud violenta; son los propietarios amenazados, es la plebe, siempre dispuesta a beneficiarse con los disturbios. Asaltan el Palacio de Justicia y le prenden fuego, y van en busca del juez que dictó la sentencia para lincharlo. Luego, la inmensa multitud se encamina a la propiedad de Juan Augusto Suter para destruirlo todo. El hijo mayor, acorralado por los enloquecidos amotinados, se pega un tiro; el segundo muere asesinado, y el tercero consigue escapar, pero se ahoga en la huida. Sobre el Ermitaje se ha abatido una oleada de fuego. Las propiedades de Suter son destruidas; sus granjas, quemadas; sus viñedos, arrasados. Roban sus muebles, sus colecciones artísticas y su dinero y, con furia infernal, convierten aquella inmensa heredad en un montón de ruinas. Suter logra salvarse milagrosamente.

Pero no pudo soportar este rudo golpe. Al ver destruida su obra, muertos su mujer y sus hijos, su cerebro se desequilibra. Le domina una idea fija: el Derecho, el proceso.

Durante veinticinco años vaga por los alrededores del Palacio de Justicia, en Wáshington, un andrajoso hombre que tiene algo perturbadas sus facultades mentales. Todos los funcionarios judiciales conocen al «General» — así le llaman — de la sucia levita y los zapatos rotos, que reclama sus millones. Y no faltan abogados sin escrúpulos capaces de sacarle lo poco que le queda de sus miserables rentas impulsándole a entablar nuevos pleitos. Pero él no quiere dinero, él odia el oro, que le ha empobrecido, que ha asesinado a sus hijos, que ha destruido su felicidad y destrozado la tranquilidad de su vida. Él pretende únicamente hacer que

prevalezca su derecho, y pleitea con la tenacidad del mono-
maníaco. Presenta reclamaciones al Senado, al Congreso; se
confía a toda clase de supuestos protectores, que fingen dar
al asunto una gran importancia y visten al infeliz desequi-
librado con un ridículo uniforme y le hacen desfilar de ofi-
fina en oficina, de funcionario en funcionario. Esto dura
veinte años, de 1860 a 1880. ¡Veinte miserables y dolorosos
años! Día tras día sigue vagando por el palacio del Congreso.
Los empleados y los golfos callejeros se divierten a su costa,
se burlan del propietario de la tierra más rica del mundo,
en cuyo suelo radica la segunda capital gigantesca de aquel
gigantesco Estado, que va creciendo a un ritmo vertiginoso.
Y él, Suter, continúa haciendo antesala en el palacio del
Congreso. Allí, en la escalinata, el 17 de julio de 1880, sufre
un ataque cardíaco que da fin a todas sus miserias. En el
suelo yace el cadáver de un pordiosero: un mendigo que
guarda en uno de los bolsillos la sentencia legal de un pleito
en la que se le reconoce, a él y a sus herederos, la posesión
del más rico y extenso patrimonio que conoce la Humanidad.

Desde entonces nadie ha reclamado la herencia de Suter,
nadie ha hecho valer sus derechos. Y todavía la populosa
ciudad de San Francisco y toda su inmensa comarca siguen
asentadas sobre una propiedad que no les pertenece. Todavía no se ha hecho justicia. Sin embargo, un artista, Blaise
Cendrars, ha concedido al olvidado Juan Augusto Suter
aquello a que tenía derecho por su gran destino: el derecho
al imperecedero recuerdo de la posteridad.

MOMENTOS HEROICOS

DOSTOIEWSKI, SAN PETERSBURGO, PLAZA SEMENOVSK, 22 DE DICIEMBRE DE 1849

E L ruido de los sables y las voces de mando a lo largo de las casamatas de la prisión han turbado su sueño a medianoche. Aparecen unas fantasmales y lúgubres sombras. Aquellas sombras le empujan por un estrecho e interminable corredor. Se oye chirriar un cerrojo. Se abre una puerta. Entonces puede contemplar el cielo, mientras un viento helado le azota el rostro. Espera un coche celular, en el que le introducen violentamente. En el coche se encuentran apretujados, cruelmente encadenados, sus nueve compañeros de infortunio. Todos callan. Saben adónde van. Saben que su viaje no tiene retorno. El coche se pone en marcha lentamente. De pronto se detiene y otra vez chirría una puerta. Al trasponer la verja, sus ojos descubren un miserable rincón de mundo: casas sombrías, sucias, bajas de techo. Luego ven una gran plaza, desierta, cubierta de enfangada nieve.

Una densa niebla envuelve el patíbulo. Un templo de oro se adivina en la luz matinal. Después de apearse les hacen avanzar. Un oficial lee la tremenda sentencia: ¡condenados a muerte por traidores! ¡A muerte! Aquellas palabras se hunden como piedras en el sereno azul del cielo. Son repetidas como un eco.

Todo lo que está ocurriendo a él le parece un sueño. Sólo sabe que va a morir. Se adelanta un hombre y en silencio le pone la hopa blanca. Los reos cambian en voz baja las últimas palabras de despedida. Uno de ellos, con los ojos desorbitados, lanza un grito de horror. Un pope le presenta el crucifijo y él lo besa fervorosamente. Los condenados son diez. Se les hace avanzar de tres en tres.

Un cosaco se acerca para vendarle los ojos. Él entonces levanta la vista para contemplar el cielo por última vez; también puede ver la iglesia, cuya dorada cúpula resplandece en las primeras luces de la aurora. Recuerda la «Última Cena» del Señor y vislumbra que la verdadera vida, la visión beatífica de Dios, comienza después de la muerte. Le han cubierto los ojos. Ante él sólo hay una tétrica oscuridad. Pero siente bullir la sangre en sus venas y, con esa ardiente sangre, nuevos torrentes de vida. Es el último segundo, y en ese instante parece concentrarse toda su existencia. Tumultuosamente aparecen las imágenes de sus recuerdos: su infancia, sus padres, sus hermanos, su esposa, las amistades rotas, las pocas horas de felicidad, los sueños de gloria. Ahora la muerte. Nota que alguien se acerca lentamente, y una mano se posa sobre su pecho. Siente frío. ¿Va a morir? El corazón apenas late. Unos momentos más y todo habrá terminado.

A poca distancia, los cosacos han formado el pelotón y preparan las armas. Se oye el ruido de los gatillos. De pronto, los tambores empiezan a redoblar. Van a troncharse unas vidas. ¡Aquel instante dura un siglo!

Pero entonces se oye un grito: «¡Alto!» Llega un oficial, en cuyas manos se agita una hoja de papel, y, a la clara luz de la mañana, lee la orden, el indulto: el Zar, bondadoso, ha conmutado la pena. Aquellas sorprendentes palabras carecen de sentido. Sin embargo, la circulación de la sangre vuelve a normalizarse, y la vida, gozosa, ha empezado a cantar. La muerte huye derrotada, y los ojos, cegados por las sombras, perciben como un rayo de luz. Le quitan la venda. Le aflojan las ligaduras. Su corazón puede ya latir libremente. Ya no ve aquella horrible fosa a sus pies. La vida es mísera y dolorosa..., pero es vida.

Contempla otra vez la dorada cúpula de la iglesia, que en los albores de aquella terrible mañana brilla místicamente. El cielo parece estar lleno de rosas, de gloriosos himnos.

Allá en lo alto brilla la cruz con los brazos abiertos como en oración.

Aclárase cada vez más el cielo con la luz del nuevo día, que se va extendiendo hasta los montes, hasta los confines más lejanos, y poco a poco, a ras del suelo, empiezan a evaporarse las tinieblas, densas, lúgubres, engendradas por la tierra. Entonces le parece oír por primera vez el grito de todos los dolores humanos y, lleno de inmensa piedad, reza y llora. Escucha las voces de los niños y de los débiles, de las pobres mujeres hundidas en la prostitución, de los solitarios sin consuelo. Comprende que sólo el dolor nos conduce a Dios, mientras la vida alegre y fácil nos ata con lazos de barro a la tierra. Sigue oyendo el coro de los miserables, de los despreciados, de los mártires anónimos, de los que mueren en el arroyo abandonados del mundo. La luz parece cantar aquel dolor terrenal. Y él cree en la suprema y paternal bondad de Dios. Sabe que Él sólo tiene amor, piedad inmensa para los pobres. Por fin, un ángel portador de un divino rayo de luz muestra a su dolorido corazón que en la muerte comienza la gloria de la vida.

Ha caído de rodillas, destrozado por el grito de dolor humano. Luego se siente abatido por un infinito estremecimiento, una especie de convulsión que disloca sus miembros; la boca se le llena de espuma y un mar de lágrimas brota de sus ojos. Está convencido de que no pudo gustar la dulzura de la vida hasta que sus labios probaron la amargura de la muerte.

Su alma ha comprendido, se ha dado plena cuenta de los terribles momentos que sufrió Aquel que murió, hace dos mil años, en una cruz. Y, como nuevo Cristo, debe amar la vida iluminado por una luz nueva.

Unos soldados le apartan del lugar de la ejecución. Está muy pálido, sus ojos se hallan alucinados por la horrible visión y en sus labios se inicia ya la amarilla carcajada de los Karamazov.

LAS PRIMERAS PALABRAS
A TRAVÉS DEL OCÉANO

CYRUS W. FIELD, 28 DE JULIO DE 1858

RITMO ACELERADO

Durante miles y quizá cientos de miles de años, desde que existe el hombre sobre la tierra, el medio de transporte progresivo fue desde el caballo, pasando por los vehículos rodados, a la navegación a remos y a vela. Todos los logros dentro del progreso técnico que caen dentro de ese pequeño ámbito iluminado por la consciencia al que llamamos historia mundial no pudieron evidenciar ningún aceleramiento notable del ritmo del movimiento. Los ejércitos de Wallenstein no avanzaban con gran diferencia de rapidez que las legiones de César; los ejércitos de Napoleón no superaron tampoco, durante sus incursiones, a las hordas de Gengis Kan; las corbetas de Nelson no llevaron velocidades muy superiores respecto a los barcos piratas de los vikingos y las embarcaciones de los mercaderes fenicios. Lord Byron, en su viaje a Childe Harold, no consiguió salvar más millas de distancia en una día que Ovidio cuando fue hacia Ponto, camino del desierto. En el siglo XVIII, Gœthe no viajó ni más cómoda ni más velozmente que el apóstol Pablo en los comienzos de nuestra Era. Sin diferencia alguna, los pueblos continúan distanciados entre sí, en cuanto a tiempo y lugar, tanto en la época de Napoleón como bajo el Imperio romano. La resistencia de la Naturaleza domina todavía la humana voluntad en este sentido. Pero llegamos al siglo XIX, y entonces la velocidad sobre la tierra experimenta considerables y fundamentales variaciones en el ritmo y la medida. En sus primeras décadas, los pueblos van acercándose, empleando menos tiempo que antes durante miles de años. Gracias al ferrocarril y a la navegación a vapor, los recorridos que antes necesitaban días y días de viaje se reducen a una sola jornada; las horas interminables se convierten en cuartos de hora y en minutos. Pero aunque dichos adelantos fueran ponderados con eufórico y triunfal entusiasmo por sus coetáneos, tanto el ferrocarril como la máquina a vapor representaban algo circunscrito a los límites de lo comprensible. Estos medios de transporte, aunque multiplicasen las velocidades por cinco, diez y hasta por veinte las conocidas hasta entonces, pueden valorarse y percibirse con la vista, con los propios sentidos; pueden explicarse como algo naturalísimo. Pero los primeros efectos de la electricidad resultan del todo insospechados, dan al traste con todas las leyes físicas y las previsiones dimensionales. Nosotros, los que vinimos más tarde al mundo, no podemos concebir la sorpresa y admiración que produjeron las primeras pruebas del telégrafo eléctrico, el enorme y entusiasmado desconcierto provocado por el hecho de que aquella misma chispa eléctrica, pequeña y apenas perceptible, que aun ayer sólo conseguía chisporrotear desde la botella de Leyden por espacio de una pulgada, de pronto manifestara una potencia diríamos diabólica, para salvar países, montañas y continentes enteros. ¡Oh, qué prodigio inimaginable pareció el que la palabra recién escrita pudiera ser recibida a millares de kilómetros, pudiera leerse y entenderse, y que la invisible corriente que se cierne sobre los dos polos de las diminutas columnas de Volta se extendiera por toda la Tierra! Jamás se hubiera podido suponer que un aparato como de juguete que hasta ayer en los gabinetes de física sólo podía atraer, mediante frotación de un tubo de cristal, partículas de papel, pudiera ser dotado de tal potencia que acrecentara en millones de veces la potencia muscular y la velocidad humanas transmitiendo mensajes, moviendo transportes, alumbrando calles y casas y cruzando los aires de un modo como el de Ariel. Hasta estos descubrimientos no se produjo en el tiempo y en el espacio una conmoción tan profunda desde la creación del mundo.

Este año de 1837, tan trascendental en el mundo, ya que

por primera vez logra sincronizar el telégrafo las hasta aquel momento aisladas expresiones humanas, se cita raramente en nuestros libros escolares, que dan más importancia a las guerras y a las victorias militares de los respectivos caudillos de las naciones en vez de destacar los verdaderos y gloriosos triunfos que son comunes a la Humanidad entera. Ninguna otra fecha de la historia moderna puede compararse a esta del año 1837, en cuanto al alcance psicológico de la nueva valoración del tiempo. El mundo sufre un cambio extraordinario desde que puede saberse en París lo que en aquel instante ocurre en Amsterdam, en Moscú, en Nápoles y en Lisboa. Pero falta todavía un paso más para incluir a toda la Humanidad en el ámbito de intercomunicación, para alcanzar una conciencia común en todos los continentes.

Pero la Naturaleza se resiste aún a esta última unión. Existen obstáculos insuperables todavía para establecer una conexión entre los países separados por el mar. Porque mientras en tierra se difunde fácilmente la chispa eléctrica de poste a poste gracias a los aisladores de porcelana, el agua absorbe la corriente eléctrica. Es imposible, pues, establecer una conducción a través del mar, pues no se ha inventado todavía un medio que pueda aislar completamente los cables de cobre y de hierro en el húmedo elemento.

Pero, afortunadamente, en dichos tiempos de progreso, un nuevo descubrimiento viene a auxiliar oportunamente al otro. Al cabo de pocos años de haberse iniciado la comunicación telegráfica por tierra se descubre que la gutapercha es la materia apropiada para aislar las conducciones eléctricas dentro del agua. Ya se podía, pues, incluir en la red telegráfica del continente europeo a un gran país situado fuera de él: Inglaterra. Un ingeniero llamado Brett coloca el primer cable, en el mismo punto desde donde Blériot emprenderá más tarde el primer vuelo sobre el canal en aeroplano. Un cómico incidente frustra el éxito primero: un pescador de Boulogne, creyendo haber hallado una enorme anguila, saca el cable del agua. Pero el 13 de noviembre de 1851 triunfa el segundo intento. Inglaterra queda ya incluida en la red europea, y Europa es ya Europa de verdad, con un solo cerebro y un solo corazón, que percibe simultáneamente todos los acontecimientos que se desarrollan en su suelo.

Tan asombrosa conquista técnica en tan pocos años, ya que nada son en comparación con la historia de la Humanidad, despierta, naturalmente, un entusiasmo ilimitado en aquella generación para otras futuras conquistas del saber humano.

Después de un breve tiempo, Inglaterra establece su red con Irlanda; Dinamarca lo hace con Suecia; Córcega, con el continente, y ya se presiente la posibilidad de incluir a Egipto y a la India en tal empresa. Pero hay una parte de la Tierra, y precisamente la más importante, que parece quedar condenada definitivamente a quedar fuera de esa cadena de comunicación telegráfica que se extiende por todo el mundo: América. ¿Cómo poder tender un cable de una parte a otra del Atlántico o del Pacífico, sin estaciones intermedias? ¿Cómo salvar tan enormes distancias? En aquellos años, en la incipiente infancia en que se hallaba todavía la electricidad, falta conocer muchos otros factores auxiliares.

Aún no se ha medido la profundidad del mar, aún es muy incierto el conocimiento de la estructura geológica del océano, aún no se ha podido demostrar completamente si un cable colocado a tanta profundidad podría resistir la presión de tan enormes masas de agua. Y además, aunque técnicamente fuera posible colocar un cable de tamaña longitud en tales profundidades, ¿dónde se halla el buque capaz de transportar un peso de hierro y cobre como el que representan cerca de cuatro mil kilómetros de cable? ¿Dónde están las dínamos de tanta potencia para transmitir la corriente eléctrica a una distancia equivalente a dos o tres semanas de navegación a vapor? Todas las previsiones ante tal empresa fallan. No se sabe si en lo profundo del mar existen corrientes magnéticas capaces de desviar la corriente eléctrica del cable; no se dispone de un aislante de suficiente eficacia, de aparatos de medición apropiados; sólo son conocidas las leyes más elementales de la electricidad, que ha abierto los ojos despertando de su sueño de siglos de un total desconocimiento. «¡Imposible, absurdo!», exclaman los hombres ilustrados cuando oyen hablar de tal cuestión. «Quizá más adelante», dicen los técnicos más audaces. Incluso a Morse, el hombre a quien se debe hasta aquel momento el perfeccionamiento del telégrafo, le parece una cosa descabellada pretender llevar a cabo un plan de tal naturaleza. Sin embargo, añade proféticamente que acaso, de lograrse colocar el cable transatlántico, aquello significaría *the great feat of the century*, «la mayor proeza del siglo».

Para que se pueda realizar un prodigio o algo capaz de producir admiración es siempre indispensable la fe absoluta de un solo hombre en ese prodigio. Es posible que el tesón de un profano en materias científicas consiga dar el impulso creador en un punto precisamente en el que titubean los técnicos, y, como ha ocurrido muchas veces, bastó una simple casualidad para poner en marcha la grandiosa empresa. Cierto ingeniero inglés llamado Gisborne, que en el año 1854 se dispone a tender un cable desde Nueva York al punto más oriental de América, Terranova, a fin de que las noticias de los barcos puedan ser recibidas unos días antes, ha de interrumpir el trabajo por falta de medios económicos, y marcha a Nueva York en busca de ayuda en tal sentido. La casualidad le depara el conocimiento de un joven llamado Cyrus W. Field, hijo de un pastor protestante, hombre de tal suerte en los negocios que, en plena juventud aún, puede retirarse con una gran fortuna a la vida privada. A este ocioso, que es todavía demasiado joven y enérgico para vivir inactivo, trata Gisborne de atraérselo para la terminación de las obras del cable de Nueva York a Terranova. Afortunadamente, nos atreveríamos a decir, Cyrus W. Field no es técnico en tales materias. No sabe nada de electricidad, jamás vio cable alguno. Pero el hijo del pastor americano lleva la fe y la audacia en su sangre. Y allí donde el técnico Gisborne sólo ve la meta inmediata, o sea unir Nueva York con Terranova, aquel hombre joven y entusiasta vislumbra todavía algo más. ¿Por qué no unir luego Terranova, por medio de un cable submarino, con Irlanda? Y con un ímpetu capaz de allanar todas las dificultades

— había cruzado el mar entre los dos continentes treinta y una veces —, Cyrus W. Field pone inmediatamente manos a la obra, entregándose a ella en cuerpo y alma desde aquel momento con todos los medios que están a su alcance y al de los demás. Con ello ha surgido ya la chispa decisiva que hace que una idea adquiera realmente una fuerza explosiva. La asombrosa fuerza eléctrica se ha aliado ahora con el otro elemento vital de mayor importancia dinámica: la voluntad humana. Un hombre dio con su misión y la misión dio con su hombre.

PREPARATIVOS

Con inusitada energía se lanza Cyrus W. Field a la gran obra. Se pone en contacto con los técnicos, solicita las concesiones de los gobiernos, inicia en los dos continentes una campaña para encontrar el capital necesario; tal es el empuje de este hombre hasta entonces desconocido, tan apasionante su íntimo convencimiento del triunfo de la empresa, tan formidable su fe en la electricidad como nueva fuerza maravillosa, que al cabo de pocos días queda suscrito en Inglaterra el capital fundacional, de trescientas cincuenta mil libras. Basta agrupar en Liverpool, en Mánchester y en Londres a los negociantes más ricos en la *Telegraph Construction and Maintenance Company* para que afluya el dinero. Se hallan entre los suscriptores los nombres de Thackeray y de lady Byron, que están dispuestos a alentar la empresa sin ningún objeto de lucro, sólo por el entusiasmo moral que ha despertado en ellos. Basta un simple llamamiento, en la Inglaterra de aquellos tiempos, la Inglaterra de Stevenson, Brunel y de otros célebres ingenieros, para reunir la enorme cantidad que una empresa tan fantástica requiere a *fonds perdu*.

Los gastos aproximados de la colocación del cable es lo único que puede calcularse en un principio. No existe precedente alguno para la realización técnica. Es algo que traspasa los límites de las empresas financieras del siglo XIX.

Pues ¿cómo es posible poder comparar el espacio de todo un inmenso océano con el cruce de aquella estrecha franja de agua existente entre Doven y Calais? Allí bastó hacer rodar desde la cubierta de cualquier vapor un cable de sesenta a setenta kilómetros, que se devanaba fielmente como el áncora desde su rueda (Winde). Para la colocación del cable a través del canal de la Mancha podíase escoger un día tranquilo, se conocía la profundidad del mar, el barco quedaba completamente a la vista desde una u otra orilla y por ello no era difícil poder vencer cualquier dificultad. En un día se podía terminar la empresa.

En cambio, para una travesía de unas tres semanas, como mínimo, de viaje, no bastaba colocar sobre cubierta una bobina de un peso cien veces superior y que devanara un cable de cien veces más longitud, exponiéndola a las inclemencias del tiempo. No existía a la sazón ningún barco de tales proporciones que pudiera albergar en su bodega aquel enorme «capullo» de hierro, cobre y gutapercha. Se precisaban indiscutiblemente dos barcos, que a su vez tenían que ser custodiados por otros, para que mantuvieran la ruta más corta y pudiesen ser auxiliados en caso necesario. Es verdad que el Gobierno británico puso a disposición de los esforzados empresarios el *Agamemnon*, uno de sus mayores barcos de guerra, que había intervenido en la batalla de Sebastopol como buque insignia, y que el Gobierno norteamericano cedió el *Niágara*, una fragata de cinco mil toneladas, que era entonces el tonelaje máximo. Pero ambos tuvieron que sufrir modificaciones en su construcción interna para que pudieran transportar debidamente cada uno de ellos la mitad del interminable cable que debía unir los dos continentes. El problema principal estribaba en el cable mismo. Había exigencias técnicas insoslayables para que aquel gigantesco cordón umbilical lograra la unión de dos grandes partes del mundo. El cable debía ser a la vez firme y resistente como el acero y al propio tiempo conservar la elasticidad necesaria para poder tenderlo fácilmente. Tiene que resistir cualquier presión, soportar toda especie de cargas y, sin embargo, ser susceptible de quedar tan lisamente arrollado como un hilo de seda. Ha de ser macizo, pero no excesivamente voluminoso; sólido por un lado, y por otro tan exacto como para transmitir la más leve diferencia en potencial eléctrico por un espacio de cerca de cuatro mil kilómetros. Cualquier desgarrón, la más pequeña irregularidad en alguno de los puntos de aquella gigantesca cuerda, puede desbaratar la transmisión a lo largo de esa distancia que requiere ahora catorce días de navegación. Pero la gigantesca obra se pone en marcha. Día y noche funcionan las máquinas de hilaturas férreas. La diabólica voluntad de un hombre impulsa todas las ruedas.

Verdaderas montañas de hierro y de cobre se emplean en el gigantesco cable. Bosques enteros de árboles del caucho sangran continuamente. Para hacerse cargo de lo fantástico de la obra basta tener en cuenta que se hilaron cerca de setecientos mil kilómetros de alambre, o sea tres veces la cantidad para dar la vuelta a la Tierra o lo que se precisaría para unir la Luna con la Tierra. Desde los tiempos de la Torre de Babel no se atrevió la Humanidad a intentar nada más grandioso.

EL PRIMER INTENTO

Durante un año giran las ruedas de las fábricas; en el interior de ambas naves se van enrollando sin cesar, como si fuese un hilo fino, el cable salido de las máquinas, y por fin después de millares y millares de vueltas, pudo quedar cada una de las mitades en cada uno de los barcos, recogida en su respectivo carrete. Ya están construidas e instaladas las nuevas máquinas, de enorme peso, en los buques, provistas de frenos y reversores, para que durante una, dos o tres semanas puedan sumergir sin interrupción el cable en el mar. Los más expertos técnicos en electricidad, entre ellos el mismo Morse, están reunidos a bordo, para observar continuamente con sus aparatos durante toda la operación de tendido si la corriente eléctrica encuentra tropiezos. Reporteros y dibujantes se hallan también a bordo, pues desean describir aquella partida, la de mayor emoción desde las de Colón y Magallanes.

Todo está ya a punto para zarpar, y mientras hasta entonces predominaron los escépticos, resulta ahora que el interés público de toda Inglaterra se vuelca apasionadamente en esa empresa. Cientos de embarcaciones de todas clases, el 5 de agosto de 1857, rodean la flota en el pequeño puerto irlandés de Valtia, para vivir aquel memorable e histórico momento en que, por medio de pequeñas embarcaciones, se coloca un cabo del cable sujeto a la costa, en la tierra firme de Europa. Sin pretenderlo, gracias al enorme entusiasmo, la despedida adquiere tono de gran solemnidad. El Gobierno ha enviado a sus representantes y se pronuncian discursos. En una conmovedora súplica, un sacerdote implora la bendición divina para aquella esforzada empresa, diciendo: «¡Oh Dios eterno, Tú que dominas en su inmensidad los cielos y los mares; Tú, a quien obedecen los vientos y las tempestades, mira con misericordia a tus siervos. Aparta toda dificultad que pudiera entorpecer la realización de esta trascendental obra.» Y en aquel momento, desde el mar y desde la tierra, se agitan en el aire miles de manos y sombreros. La tierra se va desdibujando lentamente. Uno de los más atrevidos sueños de los seres humanos pretende convertirse en realidad...

FRACASO DE LA PRIMERA TENTATIVA

En principio se había proyectado que los dos enormes buques, el *Agamemnon* y el *Niágara*, transportando cada uno la mitad del cable, se fuesen juntos hasta un punto en mitad del océano previamente calculado, para conectar allí las dos mitades. Luego, uno tomaría rumbo al Oeste, hacia Terranova, y el otro hacia el Este, hacia Irlanda. Pero se consideró temerario exponer la totalidad del costoso cable a este primer ensayo. Así, pues, se prefirió colocar el primer ramo desde el continente, mientras no se tuviera la certeza de que funcionaba debidamente una transmisión submarina a tales distancias.

Correspondió al *Niágara* la colocación del cable desde la tierra firme hasta la mitad de la travesía. Lenta, cautelosamente, marcha la fragata americana mar adentro, como si fuese una araña que va tejiendo el hilo de su propio cuerpo dejándolo tras de sí. Lenta, regularmente, runrunea a bordo la máquina del tendido. Es el ruido tan familiar para los marineros como el que produce la cadena del áncora al desenrollarse del cabrestante. A las pocas horas están ya tan acostumbrados a él que no le hacen el menor caso.

Con una rítmica continuidad va cayendo el cable detrás de la quilla. Diríase que la aventura nada tiene de difícil. En una cámara especial se hallan reunidos los técnicos electricistas a la escucha, intercambiando señales con Irlanda. Y, ¡oh maravilla!, pese a que hace ya rato que no se divisa la costa, la transmisión submarina funciona con tal precisión que parece tratarse solamente de haber establecido comunicación entre un Estado europeo con cualquier otro de sus vecinos.

Pronto quedan abandonadas las aguas superficiales y se empieza a cruzar en parte la llamada «meseta de profundidad», que se extiende más allá de Irlanda, y, sin embargo, el cordón metálico va cayendo regularmente por detrás de la quilla como pasan los granos de un reloj de arena, a la vez que transmite y recibe mensajes, y la inseguridad y zozobra de aquella primera etapa fue superada. Cyrus W. Field, la sexta noche, se acuesta por fin a gozar de un descanso bien merecido, después del agotador e intenso trabajo de aquellos primeros días, unido a las angustias comprensibles ante la incógnita del éxito.

Pero de repente cesa aquel persistente ruido, al que ya estaban todos acostumbrados. ¿Qué ocurre? De la misma manera que el que va dormitando en un tren en marcha se despierta al pararse inesperadamente la locomotora, igual que el molinero se sobresalta en su lecho si se detiene de pronto la rueda del molino, todas las gentes del barco se despiertan y acuden a cubierta. Basta una mirada a la máquina para comprenderlo todo: el rodillo está vacío. El cable se ha escurrido de la bobina, siendo ya imposible pode volver a coger a tiempo el cabo, y todavía más hallarlo en la profundidad del mar para subirlo otra vez. Ha ocurrido algo espantoso. Un fallo técnico insignificante ha destruido el trabajo de años. Como guerreros vencidos, aquellos intrépidos expedicionarios vuelven a Inglaterra, donde ya presentían que algo adverso había acontecido al cesar la transmisión de signos y señales.

OTRO FRACASO

Cyrus W. Field, el único hombre inconmovible, héroe y comerciante a la vez, hace balance. ¿Qué se ha perdido? Seiscientos kilómetros de cable, unas cien mil libras esterlinas del capital en acciones, y, lo que tal vez deprime más, un año entero de trabajo, que no puede recuperarse ya, por la sencilla razón que sólo cabe esperar buen tiempo en verano para realizar otra nueva prueba, y esta vez la estación ya estaba demasiado avanzada. Pero, en el reverso del asunto, existe una pequeña ganancia. Se ha obtenido experiencia práctica en una operación considerable en ese primer ensayo. El propio cable, que ha demostrado su validez, puede volver a enrollarse y emplearse en la nueva expedición. Solamente hay que cambiar la colocación de las máquinas que fueron la causa del percance.

Y así pasa otro año de espera y de preparativos. Hasta el 19 de junio de 1858 no consiguen zarpar en los mismos barcos, cargados con el antiguo cable y con renovados ánimos. Como la transmisión de señales ya dio buen resultado en la primera expedición, se vuelve al plan que fuera primeramente concebido, o sea empezar la colocación del cable en alta mar, a mitad de la travesía, hacia ambas direcciones. Pasan sin incidente alguno los primeros días. Hasta el séptimo no debe empezar el lanzamiento del cable en el lugar previamente designado. Hasta aquel momento pareció un viaje de recreo, un mero paseo marítimo. Las máquinas están preparadas y los marineros pueden descansar y gozar del apacible tiempo de aquellos días. No hay nubes en el cielo y el mar está en calma, quizá demasiado tranquilo.

Pero al tercer día, el capitán del *Agamemnon* siente cierta inquietud. Una simple mirada al barómetro le basta para ver con qué espantosa velocidad baja la columna de mercurio. Debe de estar formándose una extrañísima tempestad. Y, efectivamente, a los cuatro días se desencadena un temporal que pocas veces han sufrido los más avezados marinos en el océano Atlántico y que resultó funesto para el *Agamemnon*. Este barco es de por sí un excelente transporte que en todos los mares, e incluso en la guerra, ha resistido las pruebas más duras, pero, desgraciadamente, habían sido realizadas ciertas importantes modificaciones en su construcción para que pudiera efectuar la colocación del cable y transportar la enorme carga que lleva en este viaje. No se pudo, como acontece con los transportes corrientes, repartirla por la bodega de un modo uniforme, sino que gravita en su centro la totalidad del peso de aquel carrete gigantesco, y sólo una pequeña parte del lastre ha logrado ser colocada en el extremo de la proa, lo que trae como molesta consecuencia el que en cada cabeceo el movimiento pendular se duplique. Así, pues, el temporal puede emprender con su víctima un juego peligroso: a la derecha, a la izquierda, adelante y atrás, el barco se levanta hasta un ángulo de 45°. Las olas barren la cubierta. Todo queda destrozado. Y nuevo desastre: en uno de aquellos terribles bandazos de la embravecida mar cede el cierre del cargamento de carbón amontonado en cubierta. El negro aluvión se precipita como un alud sobre los marineros, ya sin este percance ensangrentados y agotadísimos. Algunos resultan heridos en la acometida y otros se escaldan al volcarse una caldera. Uno de los marineros enloquece durante esta tormenta, que dura diez días, y se piensa incluso en recurrir al remedio más extremo: echar por la borda una parte del malhadado cargamento de cable. Por suerte, el capitán se niega a asumir sobre sí tal responsabilidad, y hace bien en mostrarse firme. El *Agamemnon* puede resistir después de inenarrables peligros y huracanado temporal, y por fin, aunque con gran retraso, logra alcanzar a los otros buques en el lugar convenido del océano, donde debiera comenzar la colocación del cable.

Y entonces se puede apreciar lo que ha sufrido el valioso y delicado cargamento de cable, mil veces revuelto debido a las violentas e incesantes fricciones. En algunos puntos, los trenzados se han deshecho, la gutapercha ha sido triturada. Sin confiar mucho en el éxito, se intenta continuar la colocación. Se pierden unos cuatrocientos kilómetros de cable, que desaparecen inútilmente en el mar. Por segunda vez, las adversas circunstancias los obligan a arriar la bandera y a regresar sin gloria en lugar del triunfo apetecido.

LA TERCERA EXPEDICIÓN

Informados ya del desastroso resultado del intento, esperan en Londres los accionistas al jefe y propulsor de la desdichada empresa, Cyrus W. Field.

La mitad del capital suscrito se ha gastado en las dos expediciones, sin demostrarse ni conseguirse nada; se comprende, pues, que la mayoría de ellos digan ya: «¡Basta!» El presidente propone que se salve lo que se pueda, optando por recoger de los barcos el cable que queda sin utilizar e incluso venderlo, si es necesario, con pérdida, para terminar de una vez con el disparatado proyecto de la comunicación intercontinental oceánica. El vicepresidente se adhiere a esta propuesta y presenta su dimisión por escrito, para demostrar que se desentiende por completo de tan absurda empresa. Pero la tenacidad y el idealismo de Cyrus W. Field son inconmovibles. No se perdió todo, declara este hombre extraordinario. El cable había respondido, resistiendo brillantemente la prueba, y queda aún a bordo la longitud suficiente para llevar a cabo otro intento. La flota estaba reunida; las tripulaciones, contratadas. Precisamente la inesperada tempestad de la última travesía hace ahora presumir un tiempo mejor y más apacible. Sólo faltaba valor, ímpetu y entereza. ¡Ahora o nunca es la ocasión de arriesgar hasta lo último que les queda!

Los accionistas se muestran atónitos y escépticos. ¿Han

de confiar el resto del capital suscrito a un loco semejante? Pero como una férrea voluntad como la de Cyrus W. Field es capaz de arrastrar las voluntades más débiles, consigue por fin Cyrus organizar otra expedición. El 17 de julio de 1858, cinco semanas después del segundo fracaso, zarpa la flota por tercera vez de un puerto británico.

Y se demuestra de nuevo la vieja experiencia de que las cosas más decisivas suelen realizarse en secreto. En esta ocasión, la partida de los barcos pasa casi inadvertida. No hay embarcaciones alrededor de la flota para despedirlos, no está presente aquella ingente muchedumbre de las tentativas anteriores, no se celebra ningún banquete, no se pronuncian discursos, no hay ningún sacerdote implorando la asistencia divina. Como si se tratase de un acto de piratería, los buques se lanzan a la mar tímida y silenciosamente. Pero la mar acoge a aquellos valientes con amor. Justamente el día convenido, el 28 de julio, once días después de la salida de Queenstown, se reúnen el *Agamemnon* y el *Niágara* en el lugar convenido para comenzar aquella empresa trascendental.

¡Oh espectáculo maravilloso! Los barcos se juntan por la parte de proa. Se unen los cabos de los cables entre ambos, sin ningún formulismo, incluso sin despertar gran interés entre la tripulación, que está ya familiarizada y fastidiada con aquellos inútiles ensayos, y se sumerge el cordón de hierro y cobre entre los dos barcos hasta las mayores profundidades del mar, que permanecen inexploradas todavía. Basta un saludo de borda a borda con las banderas, y el buque inglés se dirige a Inglaterra y el americano hace rumbo a América. Mientras se alejan uno de otro, dos movibles puntos en la inmensidad del océano, se mantienen unidos por el cable. Desde que existen hombres en la tierra no se dio jamás el caso de que pudieran comunicarse dos buques a distancia a través de los vientos, por encima de las olas, a través del espacio, fuera del alcance de la vista. Cada dos horas comunica uno de ellos, por medio de señales eléctricas surgidas del fondo del mar, las millas recorridas, y el otro confirma, utilizando los mismos medios, que gracias al buen tiempo reinante ha efectuado igual recorrido. Y así pasa un día y otro, un tercero y un cuarto. El 5 de agosto, por fin, el *Niágara* puede anunciar que, hallándose ya en la bahía de la Trinidad, en Terranova, tenía ante sí, a la vista, la costa americana, después de haber depositado en el mar nada menos que cerca de dos mil kilómetros de cable, y el *Agamemnon* comunicó también su triunfo: habiendo colocado con seguridad, por su parte, mil ochocientos kilómetros de cable, se encontraba a la vista de las costas de Irlanda. Por primera vez, la palabra humana se comunica de una parte a otra del mundo, de América a Europa. Pero esto lo saben únicamente aquellos dos buques, aquellos pocos cientos de hombres. Aún lo desconoce el mundo, que hace tiempo ha olvidado semejante aventura. Nadie lo espera en la playa, nadie en Terranova, nadie en Irlanda. Sin embargo, toda la Humanidad conocerá el triunfo alcanzado en el preciso momento en que el cable marítimo sea unido al de tierra.

«HOSANNA!»

El júbilo popular alcanza proporciones grandiosas. Casi a la misma hora, en aquellos primeros días de agosto, ambos continentes reciben la noticia del éxito de la empresa. El efecto que produce es indescriptible. En Inglaterra, el comedido *Times* publica un editorial que dice: «Desde el descubrimiento de Colón no se ha producido ningún acontecimiento que admita el menor grado de comparación ni tenga la trascendencia de esta magnífica manifestación de la actividad humana.»

En la City reina gran animación. Pero la alegría de Inglaterra parece tímida, apagada, si se compara con el desbordante entusiasmo de América. Apenas tienen allí conocimiento del hecho, cierran los establecimientos, se suspenden las operaciones mercantiles y las gentes se echan a la calle, ansiosas de conocer detalladamente el magno acontecimiento. Reina una algarabía de imponderable júbilo. Un hombre hasta entonces desconocido, Cyrus W. Field, se ha convertido de pronto en héroe nacional y se le equipara enfáticamente con figuras tan ilustres como Colón y Franklin. En todas las ciudades y fuera de ellas se desea conocer a aquel que ha realizado la unión de la joven América con el viejo mundo gracias a su firme voluntad y admirable constancia. Pero el entusiasmo no ha llegado todavía a su grado máximo, puesto que sólo se sabe la escueta noticia de que el cable había sido colocado. Y surgen las preguntas: ¿Pero se puede hablar ya a través de él? ¿Se ha logrado el anhelado objetivo? Resulta un espectáculo verdaderamente impresionante ver cómo un continente entero espera y queda a la escucha de una sola palabra, de la primera palabra que ha de atravesar el océano. Todos saben que la reina de Inglaterra será la primera en expresar su felicitación. A cada hora que pasa se espera aquel acontecimiento con más impaciencia. Pero transcurren días y días sin tener noticias, pues el cable, por un desdichado azar, ha sufrido una avería en las cercanías de Terranova, y hasta el 16 de agosto al anochecer no llega el mensaje de la reina Victoria a Nueva York.

Es demasiado tarde para que los periódicos puedan publicar la reseña oficial de la anhelada noticia. Lo único factible para calmar la excitada curiosidad del público es exponer los detalles del magno acontecimiento en grandes pizarras en las fachadas de las oficinas de telégrafos y de las redacciones de los periódicos, ante las cuales se apiña una imponente masa humana. Estrujados y con las ropas desgarradas han de ir abriéndose paso los pobres vendedores de periódicos. La información se divulga por teatros y restaurantes. Millares de personas que no pueden comprender todavía que el telégrafo aventaje en velocidad al más rápido de los barcos, corren al puerto de Brooklyn para dar la bienvenida a aquella nave heroica, al *Niágara*. Al día siguiente, el 17 de agosto, los periódicos se echan a la calle con grandes e insólitos titulares: «El cable funciona perfectamente», «Júbilo indescriptible del pueblo», «Enorme sensación en la ciudad», «Se trata de un júbilo universal». Es un triunfo sin parangón. Desde que el pensamiento existe, es la primera vez que éste ha podido transmitirse con su propia rapidez a través del mar. Cientos de salvas se disparan desde la Battery para anunciar que el presidente de los Estados Unidos ha contestado a la reina de Inglaterra. Ahora ya no duda nadie. Por la noche, Nueva York y todas las demás ciudades brillan con millares de luces. Las ventanas de los edificios aparecen iluminadas, sin que logre disminuir la inmensa alegría que reina por todas partes ni siquiera el incendio de la cúpula del Ayuntamiento. Y es que el día siguiente trae ya un nuevo festejo. El *Niágara* ha llegado al puerto: ¡Cyrus W. Field, el héroe inmortal, está en la ciudad! En triunfo es paseado por ella el resto del cable y agasajada la tripulación. Van repitiéndose cada día en todas las ciudades, desde el océano Pacífico hasta el golfo de Méjico, las manifestaciones de júbilo, como si América celebrase por segunda vez la fiesta de su descubrimiento.

¡Pero no basta todo esto! El cortejo triunfal ha de tener todavía un carácter más grandioso, tiene que ser lo más apoteósico que haya presenciado jamás el Nuevo Continente. Los preparativos duran dos semanas, y luego, el 31 de agosto, una ciudad entera rinde homenaje a un hombre solo: a Cyrus W. Field, como en los tiempos de los emperadores y de los césares se festejaba a los vencedores. En este esplendoroso día se organiza un desfile monstruo que emplea seis horas en recorrer de una parte a otra Nueva York. Primero pasan los regimientos, con sus banderas y estandartes, por las engalanadas calles; siguen luego las sociedades filarmónicas, los orfeones, las brigadas de bomberos, los niños de las escuelas con sus maestros, y los veteranos. Todos cuantos pueden desfilar, forman en la manifestación. Es un cortejo interminable. Todo aquel que puede cantar, canta; todo el que puede aclamar, aclama. En coches abiertos desfilan las figuras más destacadas. Cyrus W. Field va en uno de ellos como un triunfador de la Antigüedad; en otro, el comandante del *Niágara*, y en un tercero, el presidente de los Estados Unidos. Sigue después el carruaje del alcalde de la ciudad y los de los funcionarios oficiales más destacados y representaciones docentes. Ininterrumpidamente se suceden los patrióticos discursos, los banquetes, las manifestaciones populares; voltean las campanas, suenan los cañones... Una y otra vez se renueva la entusiástica manifestación de homenaje al nuevo Colón, al comandante que ha unido a los dos mundos, al vencedor del espacio, a Cyrus W. Field, que con su hazaña se ha convertido en el hombre más famoso y admirado de América.

La crucifixión

Miles y millones de voces resuenan con júbilo inenarrable aquel día. Pero hay una voz que ha enmudecido: la del telégrafo eléctrico. Quizá Cyrus W. Field adivinó ya en plena explosión de entusiasmo la terrible verdad. Para él ha de resultar tremendo ser el único que sabe que precisamente esos días el cable atlántico ha dejado de funcionar, saber que los mensajes se han hecho últimamente cada vez más confusos, hasta resultar casi ininteligibles, y que el cable se ha estropeado definitivamente después de un último estertor. Pero todavía nadie sabe en América, ni se supone siquiera, este progresivo fallo del famoso cable. No lo ignoran los pocos técnicos que en Terranova vigilan las emisiones, y éstos también titubean en dar la amarga noticia en vista de aquel entusiasmo sin límites. Sin embargo, pronto se advierte que escasean las noticias. América había esperado que los mensajes transatlánticos irían sucediéndose de hora en hora..., pero en lugar de ello sólo se percibe alguna que otra confusa transmisión vaga e inconcreta. No pasa mucho tiempo sin que se vaya extendiendo el rumor de que por el ansia, el celo y la impaciencia de obtener mejores transmisiones, los encargados de manejar el telégrafo han ido acentuando las corrientes eléctricas hasta un grado excesivo, estropeando el cable, que ya de por sí resultaba deficiente. Sin embargo, se espera subsanar la avería. Pero luego se llega a la conclusión de que no puede negarse que las señales son como balbuceos gráficos cada vez más difíciles de descifrar. Y por fin, aquel memorable 1.º de septiembre de los apoteósicos agasajos, enmudecen totalmente las palabras lanzadas técnicamente a través del océano.

Nada perdona menos el ser humano que el verse defraudado en su sincero entusiasmo, decepcionado por un hombre del cual lo había esperado todo. Apenas se ha difundido el rumor de que el telégrafo ha dejado de funcionar, la oleada de júbilo se trueca en ácida amargura que vuelca sobre el inocentemente culpable Cyrus W. Field. Se le echa en cara el haber engañado a una ciudad, a un país, a un mundo; se asegura que sabía desde hacía tiempo que el famoso telégrafo no funcionaba y que egoísticamente se ha dejado homenajear para ganar tiempo y deshacerse de sus acciones con pingües ganancias. Incluso se llega a peores calumnias, hasta el colmo de afirmar que el telégrafo atlántico no funcionó jamás debidamente, que todo había sido fraude y embuste, que el supuesto telegrama de la reina de Inglaterra estaba ya redactado de antemano y no fue transmitido a través del Atlántico. Se comenta también que no había llegado ninguna noticia con claridad y que los dirigentes, sirviéndose de suposiciones y señales confusas, habían compuesto telegramas imaginarios.

Se produce un verdadero escándalo. Los que ayer demostraban su júbilo entusiásticamente, son ahora los que se muestran más duros. Una ciudad, mejor dicho, un país entero, se avergüenza de su fervoroso y precipitado entusiasmo. Cyrus W. Field es víctima escogida por la indignación popular. Y aquel hombre que hasta ayer casi veneraban como a héroe nacional, como si fuera el sucesor de Colón o el hermano de Franklin, tiene que ocultarse como un malhechor. Un solo día ha bastado para esta transformación. Inmenso ha sido el fracaso, se perdió el capital, se perdió la confianza y, como si fuese la legendaria serpiente de Midgard, el inútil cable se halla en las profundidades del mar.

SEIS AÑOS DE SILENCIO

El cable queda olvidado, sin utilidad alguna, hundido en lo profundo del océano. Durante seis años vuelve a reinar entre ambos continentes el frío silencio anterior que, interrumpido durante brevísimos días, les hizo latir al unísono, aunque sólo momentáneamente, pues sólo se transmitieron unas cuantas palabras. Ahora, América y Europa vuelven a estar separadas por distancias enormes, como hace centenares de años. El proyecto más atrevido del siglo xx, que durante cortísimo plazo se hizo realidad, se ha convertido en mítica leyenda. Naturalmente que ya nadie piensa volver a comenzar aquella obra que consiguió alcanzar un éxito parcial; la terrible derrota ha paralizado todas las iniciativas y ahogado todo el entusiasmo necesario para ello. En América estalla la guerra de Secesión entre los Estados del Norte y los del Sur, y su interés está concentrado en los trágicos acontecimientos. En Inglaterra se forman de vez en cuando algunos comités que tardan, sin embargo, dos años para dejar sentada la inútil afirmación de que, en principio, el cable submarino encierra posibilidades indudables. Pero de las meras consultas y consideraciones académicas hasta convertirlas en hechos efectivos y reales va una distancia que nadie piensa salvar; pasan seis años tan inactivos como el cable que se halla en el fondo del océano.

Pero si bien, desde el punto de vista histórico, seis años suponen sólo un fugaz instante, en una ciencia moderna como la electricidad tienen una proporción de miles de años. Cada año, cada mes, se descubre algo nuevo. Las dínamos ya son más potentes y precisas, se multiplican los objetivos de su aplicación, los aparatos ganan en exactitud. La red telegráfica abarca el espacio interior de cada continente; ha atravesado ya el Mediterráneo, y África ha quedado unida a Europa. De año en año, el proyecto de tender un cable a través del océano Atlántico va perdiendo imperceptiblemente el carácter de fantástico que tanto le ha perjudicado. Indudablemente ha de llegar la hora de realizar un nuevo intento. Sólo falta el hombre capaz de llevarlo a cabo con nuevas energías.

Y de repente se presenta ese hombre: es el mismo, con la misma fe y el mismo entusiasmo; es otra vez Cyrus W. Field, que resucita del silencioso destierro y del insultante desprecio. Ha cruzado el océano treinta veces y se presenta de nuevo en Londres para lograr vivificar allí las antiguas aportaciones con nuevo capital, que asciende a seiscientas mil libras esterlinas. Ahora se puede por fin conseguir el soñado barco que puede soportar la enorme carga por sí solo. Es el célebre *Great Eastern*, con sus veintidós mil toneladas y cuatro chimeneas, construido por el más audaz de los ingenieros navales, Isambar Brunel. Afortunadamente, en ese año 1865 se encuentra disponible, porque, lo mismo que el telégrafo transoceánico, ha sido proyectado y construido anticipándose demasiado a su época. Bastan, pues, dos días para adquirir el navío y acondicionarlo para la expedición. Y el 2 de julio de 1865, aquel gigantesco barco zarpa desde el Támesis con un nuevo cable. Aunque fracasa el primer intento, debido a que el cable se rompe dos días antes de ser tendido totalmente, y de nuevo el insaciable océano se traga seiscientas mil libras esterlinas, la técnica sigue ya por unos derroteros demasiado seguros para acobardarse. Y cuando, el 13 de julio de 1866, vuelve a salir por segunda vez el *Great Eastern*, la travesía se ve coronada por el éxito. Los mensajes que se transmiten ahora a través del cable son claros y precisos. Algunos días después encuentran el antiguo cable, que creían perdido. Dos líneas unen ahora el Viejo y el Nuevo Mundo. La maravilla de ayer es hoy cosa corriente, y desde entonces el mundo entero late como si se tratase de un solo corazón. La Humanidad se escucha y se comprende simultáneamente de un confín a otro de la tierra, divinamente omnipresente por su fuerza creadora. Y unido permanecerá por siempre el mundo, gracias a su victoria sobre el tiempo y el espacio, de no verse acometido una y otra vez por una especie de incontenible frenesí que le induce a destruir esa grandiosa unidad y a aniquilarse con los mismos elementos que le concedieron poder sobre los elementos.

LA HUIDA HACIA DIOS

EPÍLOGO AL DRAMA INCOMPLETO DE LEÓN TOLSTOI
«LA LUZ QUE BRILLA EN LAS TINIEBLAS»

INTRODUCCIÓN

E N el año 1890 empezó Tolstoi a escribir una autobiografía dramática que luego se publicó y representó como fragmento de sus obras póstumas bajo el título de *La luz que brilla en las tinieblas*. Este drama incompleto no es más (según vemos ya por la primera escena) que una descripción de la tragedia íntima que se desarrolla en su propio hogar, dado a la publicidad como justificación personal de un intento premeditado de fugarse y al mismo tiempo como disculpa de su esposa, o sea «una obra de perfecto equilibrio moral» en medio de la agitación de su conciencia (o de la inquietud que invade su alma).

Realmente, es un autorretrato de Tolstoi, que se manifiesta de una manera diáfana a través del protagonista, Nikolai Michelaievitch Saryzev, de modo que sólo una pequeña parte de la tragedia es realmente pura invención, sin contenido histórico. Sin duda, el autor la escribió como una especie de anticipo literario a la solución «necesaria» de su vida. Pero ni en su obra ni en su vida, ni en 1890 ni en 1900, tuvo Tolstoi valor para tomar una decisión y realizar su propósito. Y de esta resignación de su voluntad ha quedado el fragmento, que termina estando Tolstoi envuelto en una terrible perplejidad y rogando a Dios que le ayude a serenar su alma.

El acto que falta a la tragedia ya no lo escribió Tolstoi; ocurrió algo más importante: lo vivió personalmente. Por fin, en los últimos días de octubre de 1910, las dudas de veinticinco años se trocaron en resolución, aunque a costa de una dolorosa crisis interior, «su liberación». Después de una dramática lucha en lo más íntimo de su ser y en el seno de su familia, huye para hallar «una muerte sublime y ejemplar, que consagra y estructura el destino de su vida».

Nada me pareció más natural que añadir lo que realmente aconteció a los fragmentos escritos ya de dicha tragedia. Esto es únicamente lo que intenté hacer, con la fidelidad histórica que me fue posible y el respeto debido a los hechos y documentos que me han orientado. Lejos de mí está la presunción temeraria de querer completar arbitrariamente una confesión de León Tolstoi; «no me adhiero a la obra, solamente la sirvo». Tampoco supone un complemento ni una terminación. Se trata sencillamente de un epílogo absolutamente independiente a una obra sin terminar y a un conflicto sin resolver, destinado exclusivamente a honrar como se merece esa tragedia. Ojalá que con ello quede cumplido el sentido que he querido dar al epílogo con mi modesta y respetuosa aportación.

A los efectos de una posible representación teatral, debo hacer constar que el epílogo se refiere cronológicamente a dieciséis años más tarde que *La luz que brilla en las tinieblas*, lo que debe ser evidente al aparecer en escena León Tolstoi. «Los bellos cuadros representativos de sus últimos años pueden ser ejemplares, particularmente aquel que le muestra en el convento de Schamardino al lado de su hermana y la fotografía en el lecho donde terminó sus días.» Su despacho de trabajo debería ser presentado en su conmovedora sencillez, de acuerdo con la realidad histórica.

Desearía que este epílogo se representara después de una larga pausa, al terminar el cuarto acto de la tragedia incompleta ya citada. En el mismo sale Tolstoi con su propio nombre y no bajo el supuesto de Saryzev, pues no está en mi ánimo intentar una representación exclusiva del epílogo.

S. Z.

PERSONAJES DEL EPÍLOGO

León Nikolaievitch Tolstoi (a los 83 años de edad).

Sofía Andreievna (su esposa).

Alexandra Lvovna (llamada en familia Sascha, su hija).

El Secretario

Duschan Petrovitch (médico de la casa y amigo de Tolstoi).

Jefe de la estación de Astapovo (Iván (Ivanovitch Osoling).

Comisario de policía de Astapovo (Cirilo Gregorovitch).

Estudiante 1.°

Estudiante 2.°

Tres viajeros.

Las dos primeras escenas se desarrollan durante los últimos días de octubre de 1910 en el despacho de trabajo de la mansión de Yasnaia Poliana; la última, el 31 de octubre de 1910 en la sala de espera de la estación de Astapovo.

Escena primera

Fin de octubre de 1910 en Yasnaia Poliana, en el despacho de Tolstoi, *sencillo y sin el menor adorno, como aparece en el ya conocido cuadro. El* Secretario *introduce a dos estudiantes, vestidos a la usanza rusa, con blusas negras de alto y cerrado cuello. Ambos son jóvenes y sus respectivos rostros expresan inteligencia. Se mueven con desenvoltura, más bien con arrogancia que con timidez.*

EL SECRETARIO. — Siéntense entre tanto. León Tolstoi no les hará esperar mucho. Ahora querría hacerles un ruego... Tengan ustedes en cuenta su edad... A León Tolstoi le gusta tanto discutir, que a menudo se olvida de que eso le agota.

ESTUDIANTE 1.° — Tenemos poco que hablar. Sólo queremos hacerle una pregunta, pero que, naturalmente, es decisiva para él y para nosotros. Le prometo que seremos breves, a condición de que podamos hablar con entera libertad.

EL SECRETARIO. — Perfectamente. Cuanto menos rodeos, mejor. Y, sobre todo, no le llamen «excelencia»; no le gusta.

ESTUDIANTE 2.° (Riendo.) — No hay que temer tal cosa de nosotros; todo, menos eso.

EL SECRETARIO. — Ya está aquí.

> (Entra TOLSTOI con paso rápido pero acompasado. A pesar de la edad parece vivaz y nervioso. Siempre, mientras conversa con alguien, juguetea con un lápiz o enrolla una hoja de papel, impaciente por tomar la palabra. Se dirige rápidamente a los dos visitantes, les tiende la mano, los mira de un modo penetrante y luego se sienta en el sillón tapizado de piel que está frente a ellos.)

TOLSTOI. — Son ustedes los dos jóvenes que me envía el Comité, ¿verdad? (Consulta un papel.) Perdonen que haya olvidado sus nombres...

ESTUDIANTE 1.° — Prescinda de nuestros nombres. Venimos a usted como dos simples individuos entre centenares de miles.

TOLSTOI (Mirándole fijamente.) — ¿Quieren hacerme algunas preguntas?

ESTUDIANTE 1.° — Una sola.

TOLSTOI *(Al* ESTUDIANTE 2.°*)* — ¿Y usted?

ESTUDIANTE 2.° — La misma. Todos nosotros tenemos que hacerle una sola pregunta, León Nikolaievitch Tolstoi. Todos nosotros, la juventud revolucionaria de Rusia. Y es ésta: ¿por qué no está usted con nosotros?

TOLSTOI *(Con calma.)* — Eso creo haberlo explicado ya claramente en mis libros, y sobre todo en algunas cartas que se han divulgado posteriormente. No sé si ustedes habrán leído mis libros.

ESTUDIANTE 1.° *(Vivamente.)* — ¿Si hemos leído sus libros, León Tolstoi? Es curioso que nos haga esa pregunta. Haberlos leído sería muy poco. Hemos vivido de la esencia de sus libros desde nuestra niñez, y al llegar a la juventud conmovieron nuestro corazón. ¿Quién sino usted nos ha enseñado a ver la injusta distribución de los bienes humanos? Sus libros, sí, sólo ellos, han alejado nuestros corazones de un Estado, de una Iglesia y de un amo que en lugar de proteger a la Humanidad ampara la injusticia, y usted, solamente usted, nos ha inducido a dedicar toda nuestra vida a repararla, hasta que se consiga destruir ese falso orden.

TOLSTOI *(Interrumpiendo.)* — Pero no por la violencia.

ESTUDIANTE 1.° *(Saliendo al paso de sus palabras, sin poder contenerse.)* — Desde que tenemos uso de razón, a nadie nos hemos confiado como a usted. Cuando nos preguntábamos quién repararía la injusticia de nuestro pueblo, contestábamos: él. Si nos preguntábamos quién se levantaría un día para derribar tanta ignominia, contestábamos: él lo hará, León Tolstoi. Éramos sus discípulos, sus devotos servidores. Creo que a una simple insinuación suya hubiera yo dado la vida, y, de haberme atrevido hace algunos años a venir a esta casa, me hubiera arrodillado ante usted como ante un santo. Eso significaba usted para nosotros, para miles y miles de los nuestros, para toda la juventud rusa hasta hace pocos años..., y yo me quejo, nos quejamos todos, de que desde entonces se ha ido usted apartando de nosotros hasta convertirse casi en nuestro adversario.

TOLSTOI *(Más suavemente)* — ¿Y qué cree usted que debería hacer yo para seguir unido a ustedes?

ESTUDIANTE 1.º — No tengo la presunción de darle lecciones. Demasiado sabe usted lo que le ha enemistado con nosotros.

ESTUDIANTE 2.º — Bien, ¿por qué no hablar claramente, si nuestro asunto no es para andarse con cumplidos? Tiene usted que abrir los ojos de una vez y no permanecer en esa tibia actitud ante los terribles crímenes que comete el Gobierno con nuestro pueblo. Debe por fin abandonar su escritorio y ponerse sin reservas, clara y abiertamente, al lado de la revolución. Usted sabe ya, León Tolstoi, con qué crueldad se combate nuestro movimiento, que son más los hombres que se pudren en las cárceles que las hojas de los árboles que se marchitan en su jardín. Y usted sigue contemplando todo eso, escribiendo a lo sumo de vez en cuando, según dicen, algún artículo para un periódico inglés, sobre la santa dignidad de la vida humana. Pero a usted le consta que contra este sanguinario terror de hoy ya no bastan las palabras. Está usted convencido, igual que nosotros, que es preciso un levantamiento, una revolución, y una sola palabra suya sería capaz de crear un ejército. Usted nos ha convertido en revolucionarios, y ahora que ha llegado el momento de obrar, se aparta con cautela, aprobando con ello la violencia.

TOLSTOI. — Jamás aprobé la violencia, ¡jamás! Hace treinta años abandoné mi trabajo únicamente para combatir los crímenes de los déspotas. Desde hace treinta años, cuando vosotros no habíais nacido todavía, vengo yo exigiendo más radicalmente que lo hacéis vosotros no sólo que mejore, sino que se cree un orden completamente nuevo de las condiciones sociales.

ESTUDIANTE 2.º *(Interrumpiendo.)* — Bien, ¿y qué? ¿Qué ha conseguido usted? ¿Qué nos han concedido en esos treinta años? El látigo de los *duchoborzen,* que cumplían su mensaje, o seis balazos en el pecho. ¿Qué es lo que ha mejorado en Rusia por su pacífica presión, por sus libros y sus folletos? ¿No se da usted cuenta todavía de que recomendando paciencia y resignación al pueblo, haciendo que tenga fe en un futuro lejano, no hace más que ayudar a los opresores? ¡No, León Tolstoi, de nada sirve dirigirse a esa arrogante raza de tiranos en nombre del amor y empleando un lenguaje celestial! Esos esbirros del Zar no sacarán ni un solo rublo de su bolsillo ni quitarán un solo impuesto mientras no los dobleguemos a puñetazos. Bastante ha esperado nuestro sufrido pueblo en su amor fraterno; no podemos aguantar más; ha sonado la hora de la acción.

TOLSTOI *(Con bastante ardor.)* — Ya sé. Incluso en vuestras proclamas lo llamáis «una acción santa». ¡Oh, «acción santa» fomentar el odio! Pero yo no quiero odio ni quiero conocerlo, ni siquiera contra los que pecan contra nuestro pueblo. El que comete el mal es más desgraciado, moralmente, que el que lo sufre; le compadezco, pero no le odio.

ESTUDIANTE 1.º *(Colérico.)* — ¡Pero yo los odio a todos, a todos los que cometen injusticias, los odio sin contemplaciones, como a bestias feroces! No, León Tolstoi, jamás enseñará usted a tener compasión de esos criminales.

TOLSTOI. — Incluso el criminal es hermano mío.

ESTUDIANTE 1.º *(Despectivo.)* — Aunque fuera mi hermano, hijo de mi propia madre, si obrase mal contra la Humanidad lo aplastaría como a vil gusano. ¡No, jamás tendré compasión con los que no la tienen! No habrá paz en esta bendita tierra rusa hasta que los cuerpos de los zares y los nobles estén sepultados en ella; no habrá un orden humano y legal hasta que los exterminemos a todos ellos.

TOLSTOI. — No se puede obtener orden de ningún género por la violencia, ya que la violencia engendra violencia. Tan pronto empuñéis las armas, crearéis un nuevo despotismo. En lugar de destruirlo, lo perpetuaréis.

ESTUDIANTE 1.º — Pero contra los poderosos no hay otro medio que la destrucción de su poder.

TOLSTOI. — Concedido, pero jamás debe emplearse un medio del que ya se desconfía. La verdadera fuerza, créanme, combate la violencia no empleando la misma violencia, sino que la desvirtúa con la transigencia. Está escrito en el Evangelio...

ESTUDIANTE 2.º *(Interrumpiendo.)* — ¡Bah, deje usted en paz el Evangelio! No, León Tolstoi, con máximas bíblicas no se puede hoy llenar el abismo que existe entre señores y siervos; hay demasiados padecimientos de por medio. Centenares, mejor dicho, millares de hombres creyentes y abnegados consumen hoy sus vidas en Siberia y en las cárceles, y mañana serán decenas de miles. Y yo le pregunto a usted: ¿deben continuar sufriendo millones de inocentes por causa de un puñado de culpables?

TOLSTOI *(Pretendiendo resumir.)* — Es preferible que sufran a que vuelva a verterse sangre; precisamente el sufrimiento inocente es beneficioso y repara la injusticia.

ESTUDIANTE 2.º *(Alterado.)* — ¿Llama usted beneficio al sufrimiento de cientos de años del pueblo ruso? Bien, pues vaya usted, León Tolstoi, a las cárceles y pregunte a los que fueron azotados, pregunte a los hambrientos de pueblos y aldeas si el sufrir es realmente tan «beneficioso».

TOLSTOI *(Irritado.)* — Seguramente es mejor que vuestra violencia. ¿Creéis en realidad suprimir los males de este mundo con vuestras armas y vuestras bombas? Entonces, el mal lo tendréis dentro de vosotros, y os lo repito: es mil veces preferible sufrir con una convicción que asesinar por ella.

ESTUDIANTE 1.º *(Igualmente irritado.)* — Bueno, puesto que el sufrimiento es tan beneficioso, León Tolstoi, ¿por qué no lo padece usted también? ¿Por qué ensalza continuamente el martirio de los demás y usted se está sentado y bien calentito en su propia casa, comiendo en vajilla de plata, mientras sus labradores, los he visto por mí mismo, vestidos andrajosamente, medio muertos de hambre, se hielan en sus cabañas? ¿Por qué no se hace azotar en lugar de sus *duchoborzen*, que son flagelados por seguir sus doctrinas? ¿Por qué no abandona usted de una vez esta mansión señorial y se marcha a la calle, a conocer personalmente lo que es el viento, el frío y la lluvia; para saber lo que es la miseria, que a usted se le antoja tan preciosa? ¿Por qué no hace más que hablar, en lugar de obrar según sus propias doctrinas? ¿Por qué no nos da usted ejemplo?

TOLSTOI *(Puesto en pie, retrocede algunos pasos; el* SECRETARIO *ha dado un salto hacia el estudiante e, irritado, quiere echarlo de allí, pero* TOLSTOI, *recobrando el ánimo, lo empuja suavemente hacia un lado.)* — ¡Déjele usted! La pregunta que este muchacho ha dirigido a mi conciencia es lógica, una pregunta muy acertada, verdaderamente necesaria. Voy a esforzarme en contestarla. *(Adelanta un paso, titubea, se serena. Su voz suena ronca, velada.)* Me pregunta usted por qué no cargo yo con el sufrimiento, de acuerdo con mis doctrinas y mis palabras, y yo le contesto con franca vergüenza que si me he sustraído hasta ahora a mi santa obligación fue por causa..., fue... porque soy demasiado débil, demasiado cobarde o demasiado hipócrita, un hombre que vale muy poco, un pecador..., porque hasta hoy no me dio Dios la fuerza precisa para realizar al fin lo que es inaplazable. Usted, un hombre hasta ahora desconocido para mí, ha hablado de un modo terrible a mi conciencia. Sé que no he hecho ni la milésima parte de lo que era necesario hacer. Reconozco avergonzado que hace mucho tiempo hubiera debido abandonar el lujo de esta casa y la lamentable forma de vida que llevo y que considero como un pecado, para salir por las calles, como usted ha dicho muy bien, como un peregrino... No sé darle otra respuesta que la de que me avergüenzo en lo más profundo de mi alma y que me humillo ante mi propia miseria. *(Los estudiantes han retrocedido un paso y guardan un emocionado silencio. Pausa. Luego,* TOLSTOI *continúa en voz baja.)* Pero quizá..., quizá sufro, a pesar de todo..., acaso padezco precisamente por ello, por no lograr ser lo bastante fuerte y honrado para cumplir mi palabra ante los hombres. Acaso mi conciencia me hace sufrir más en este lugar que los más terribles tormentos corporales; tal vez me ha deparado Dios esta cruz y me ha hecho más dolorosa la estancia en mi casa que si estuviera en la cárcel con los pies encadenados. Pero usted tiene razón, este sufrimiento es estéril, porque es un dolor sólo mío, y sería envanecerme que yo quisiera atribuirme también los suyos.

ESTUDIANTE 1.º *(Algo avergonzado.)* — Le suplico que me perdone, León Nikolaievitch Tolstoi, si en mi apasionamiento he llegado a alusiones personales.

TOLSTOI. — ¡No, no, todo lo contrario, si se lo agradezco! El que conmueve nuestra conciencia, aunque sea con violencia, nos hace un bien. *(Silencio. Vuelve a hablar* TOLSTOI *con voz más calmada.)* ¿Ninguno de ustedes tiene que hacerme alguna otra pregunta?

ESTUDIANTE 1.º — No, ésa era nuestra única pregunta. Pero debo decirle que tanto para Rusia como para la Humanidad entera es de lamentar que usted nos niegue su apoyo, puesto que nadie podrá evitar ya esta revolución, y preveo que será terrible, más espantosa que todas las demás del mundo. Los que están destinados a dirigirla serán hombres de hierro, implacables, despiadados. Si se hubiese usted puesto al frente, su ejemplo hubiera hecho millones de adeptos y habría menos víctimas.

TOLSTOI. — Pero, aunque fuera una sola vida la que se sa-

crificara por mi culpa, no puedo hacerme responsable
de ella ante mi conciencia.

(Se oye el sonido de una campana en el piso de abajo.)

EL SECRETARIO *(A TOLSTOI, para cortar la conversación.)*—
Llaman para el almuerzo.

TOLSTOI *(Amargamente.)* — Sí, comer, charlar, volver a
comer, dormir, descansar, volver a charlar... Así vamos
viviendo nuestra precaria vida, mientras los demás tra-
bajan y sirven con ello a Dios.

> *(Se vuelve de nuevo hacia los jóvenes.)*

ESTUDIANTE 2.° — ¿De modo que sólo podemos llevar a nuestros amigos la triste noticia de su renuncia definitiva?
¿No nos da usted al menos una palabra de aliento?

TOLSTOI *(Le mira fijamente y habla, resuelto.)* — Díganles
a vuestros amigos lo siguiente en nombre mío: yo os
quiero y os respeto, jóvenes rusos, porque con tanta vehemencia os compadecéis de los sufrimientos de vuestros
hermanos y queréis arriesgar vuestras vidas para mejo-
rar las suyas. *(Su voz se hace dura, fuerte y cortante.)*
Pero más allá no puedo seguiros, y me niego a estar con
vosotros, ya que negáis el amor humano y fraterno a
todos los hombres.

> *(Callan los estudiantes, se adelanta resueltamente
> el segundo y dice con gravedad:)*

ESTUDIANTE 2.° — Agradecemos que nos haya usted recibido
y le agradecemos también su sinceridad. Jamás volveré
a estar en su presencia. Permítame, por tanto, como despedida de un insignificante desconocido, que le diga con
franqueza y lealtad unas pocas palabras. Estando ya cer-
cana la hora de su muerte, León Nikolaievitch Tolstoi,
yo le anuncio que el mundo se ahogará otra vez en sangre. No sólo matarán a los señores, sino también a sus
hijos, para que nada se tenga que temer ya de esa des-
cendencia. Ojalá pueda usted ahorrarse ser testigo de su

propio error. ¡Esto sí que se lo deseo de todo corazón! ¡Dios le conceda una muerte tranquila!

(TOLSTOI *parece asustado de la vehemencia del enardecido joven. Luego, sereno ya, avanza hacia él y dice con sencillez:*)

TOLSTOI. — Le agradezco particularmente sus últimas palabras. Me desea usted lo que anhelo desde hace treinta años: una muerte en paz con Dios y con los hombres. *(Inclínanse ambos visitantes y salen.* TOLSTOI *los sigue con la vista; luego empieza a pasear con excitación de un lado a otro de la estancia y le dice con ímpetu a su secretario:)* ¡Qué admirables son esos muchachos, qué valientes y enteros, qué fortaleza hay en ellos! Así los conocí frente a Sebastopol, hace sesenta años. Con esa misma arrogancia iban a la muerte, al paso de cualquier peligro..., con la sonrisa en los labios para morir por nada, para dar sus preciosas vidas juveniles por un grano de trigo, por unas palabras sin sentido, por una idea sin el respaldo de la verdad, sólo por la dicha de la entrega. Me han conmovido. Es preciso que domine mi debilidad de espíritu y cumpla mi palabra. Estoy acercándome a la muerte a pasos agigantados, y todavía sigo titubeando.

(*Se abre la puerta y entra la* CONDESA *como una tromba de aire, nerviosa, irritada. Sus movimientos son violentos y denotan perplejidad; sus ojos vagan de un lado a otro, como buscando algo, dirigiendo su mirada de un objeto a otro. Se ve que piensa en otra cosa mientras habla y que está poseída de cierta inquietud y zozobra interiores. Prescinde con mirada desatenta del* SECRETARIO, *como si éste fuese invisible, y se dirige exclusivamente a su esposo. Detrás de ella ha entrado* SASCHA, *su hija; se tiene la impresión de que ha seguido a su madre para vigilarla.*)

LA CONDESA. — Ha llamado la campana para comer y desde hace media hora está esperándote abajo el redactor del

Daily Telegraph por lo de tu artículo sobre la pena de muerte, y tú lo dejas todo para atender a esos desharrapados. ¡Qué gente más insolente! Cuando, abajo, el criado les preguntó si había sido anunciada su visita al Conde, contestó uno de ellos: «No, no hemos sido anunciados a ningún conde; es León Tolstoi quien nos ha citado.» ¡Y tú te entregas por completo a esos bribones que con gusto verían el mundo tan revuelto como sus propias cabezas! *(Intranquila, mira alrededor del aposento.)* ¡Qué desorden hay aquí! Los libros por el suelo, polvo por todas partes; en fin, una verdadera vergüenza si viene alguien de más compromiso. *(Va al sillón y lo mira de cerca.)* La piel está hecha trizas, se le sale el crin por todas partes. Esto es intolerable. Afortunadamente, mañana viene el tapicero de Tula y lo arreglará. *(Nadie le contesta; ella vuelve a mirar intranquila alrededor.)* Te lo ruego, haz el favor de venir. No se puede hacer esperar más a ese hombre.

TOLSTOI *(De repente muy pálido e inquieto.)* — Voy en seguida. Tengo que arreglar todavía algo aquí. Sascha me ayudará. Atiende entre tanto a ese caballero y excúsame. Yo iré en seguida.

(La CONDESA *se marcha, después de haber lanzado una indignada mirada por todo el despacho.* TOLSTOI *va precipitadamente a la puerta, después que ella ha salido, y cierra con llave.)*

SASCHA *(Asustada por la impetuosidad de su padre.)* — ¿Qué te pasa?

TOLSTOI *(Agitadísimo, se lleva la mano al corazón y tartamudea:)* Mañana el tapicero..., ¡alabado sea Dios...! Así, aún hay tiempo... ¡Gracias, Dios mío!

SASCHA. — Pero ¿qué ocurre?

TOLSTOI *(Excitado.)* — Un cuchillo, anda, de prisa; un cuchillo o una tijera... *(El* SECRETARIO *le entrega, mirán-*

dole extrañado, una plegadera que había sobre el escritorio. Tolstoi, *nerviosa y apresuradamente, dirigiendo a la puerta angustiosas miradas, empieza a ensanchar con aquel instrumento las abiertas grietas del asiento del sillón; luego mete la mano y va palpando el crin que sobresale, hasta que por fin extrae de entre él una carta lacrada.)* ¡Aquí está! Es ridículo, ¿verdad? Ridículo e inverosímil como si se tratara de un miserable folletín francés... Una vergüenza incalificable. ¡Que yo, estando en mi cabal juicio, en mi propia casa y a mis ochenta y tres años, tenga que esconder mis papeles más importantes, porque todo se me examina, porque se me vigila, porque se pretende descubrir mis secretos y conocer mis intenciones! ¡Qué bochorno! ¡Oh, qué infierno es mi vida en esta casa, qué gran mentira! *(Se ha ido serenando, abre la carta, lee y, dirigiéndose a* Sascha, *dice:)* La escribí hace treinta años en un momento en que estaba dispuesto a dejar a tu madre y a esta casa infernal. Era mi despedida, pero luego no tuve valor para marcharme. *(Aprieta la carta con manos temblorosas y lee para sí, a media voz:)* «...Sin embargo, ya no me es posible continuar esta vida que llevo hace tantos años a vuestro lado; una vida en que, por una parte, lucho contra vosotros, y tengo que animaros y sosteneros por otra. Así es que decido hacer lo que debía haber hecho ya, o sea que estoy decidido a huir. Si lo hiciera abiertamente, sería muy amargo. Acaso vacilaría y no me sentiría capaz de realizar mi resolución, que, no obstante, debe llevarse a cabo. Perdonadme, pues, os lo ruego, si el paso que voy a dar os causa dolor, y sobre todo, tú, Sonia, aléjame de buen grado de tu corazón, no me busques, no te culpes de nada respecto a mí, no me juzgues.» *(Respirando con dificultad.)* ¡Ah, de esto hace ya treinta años! Desde entonces he continuado sufriendo. Cada palabra de aquel tiempo encarna en sí tanta verdad como ahora, y mi vida de hoy es igualmente débil y cobarde. Todavía no, todavía no he huido, aún continúo esperando, esperando no sé qué. Siempre he tenido una idea clara de mis

deseos y siempre me he conducido sin tino. Siempre fui
demasiado débil, siempre carecí de voluntad. Escondí
aquí la carta como un colegial que oculta un libro malo
al maestro. Y en sus manos puse el testamento, en que
entonces le rogaba que cediera la propiedad de mis obras
a toda la Humanidad, con el exclusivo objeto de lograr
que hubiera paz en casa, aunque yo no la tuviera en mi
propia conciencia.

(*Pausa.*)

EL SECRETARIO. — ¿Y cree usted, León Nikolaievitch Tolstoi...? Espero que me permitirá la pregunta, puesto que
tan inesperadamente da usted pie para ella... ¿Cree
que... que cuando Dios le llame a su seno..., que... que...
ese encarecido y último deseo suyo de renunciar a la propiedad de sus obras será cumplido?

TOLSTOI (*Asustado.*) — Naturalmente... Es decir... (*Agi-
tado.*) No, no lo sé... ¿Qué opinas tú, Sascha?

(SASCHA *aparta la vista y calla.*)

TOLSTOI. — ¡Dios mío, no había pensado en eso! Pero otra
vez vuelvo a no ser completamente sincero. La verdad
es que no he querido pensar en ello, que he rehuido esa
preocupación enojosa, como hago siempre. (*Mira fijamente al* SECRETARIO.) Sí, yo sé positivamente que mi
esposa y mis hijos no respetarán mi última voluntad,
como hacen ahora con mis creencias y mis inquietudes
espirituales. Comerciarán con mis obras y después de mi
muerte apareceré ante los hombres como un farsante.
(*Hace un movimiento que implica decisión.*) ¡Pero eso
no ha de ser! ¡Quiero que se aclaren las cosas de una vez!
Como decía hoy el estudiante que ha estado aquí, hombre realmente sincero, el mundo exige de mí un hecho,
una prueba final de honradez, una decisión clara, pura
y evidente. A los ochenta y tres años ya no se puede
continuar cerrando los ojos ante la muerte, hay que mi-
rarla cara a cara y tomar resueltamente una decisión.
Sí, me han hecho mucho bien esos desconocidos. El no

hacer frente a la realidad implica cobardía. Hay que ser
claro y leal; por fin quiero serlo, ahora, a los ochenta y
tres años. *(Se dirige a su secretario y a su hija.)* Sascha
y Vladimiro Georgevitch, mañana haré mi testamento
claro, concreto, que no pueda ser impugnado, y en él
legaré el producto de todo cuanto he escrito, todo el
sucio dinero que sobre él se vaya acumulando, a todos,
a la Humanidad entera. No se podrá hacer negocio con
las palabras que dije y escribí destinadas a todos los
hombres, acuciado por el imperativo de mi conciencia.
Venga usted mañana por la mañana, traiga otro testigo.
No puedo retrasarme más, no sea que la muerte me lo
impida.

SASCHA. — Un momento, padre; no es que quiera disuadirte
de tu propósito, pero temo que surjan dificultades si
mamá nos sorprende aquí, reunidos los cuatro. Seguramente sospecharía algo y tal vez hiciera vacilar tu voluntad en el último momento.

TOLSTOI *(Reflexionando.)* — ¡Tienes razón! No, en esta
casa no puedo hacer nada que sea digno ni justo; aquí
la vida es todo mentira. *(Al* SECRETARIO.*)* Arréglalo de
manera que mañana, a las once de la mañana, se reúna
conmigo en el bosque de Grumont, junto al enorme
árbol de la izquierda, detrás del campo de centeno. Yo
simularé salir a dar mi acostumbrado paseo, y allí, así
lo espero, Dios me dará entereza para desprenderme al
fin de las últimas cadenas.

(Suena la campana por segunda vez, más fuerte.)

EL SECRETARIO. — Pero procure que la Condesa no advierta
nada; si no, todo está perdido.

TOLSTOI *(Respirando con dificultad.)* — Es horrible tener
que estar continuamente disimulando, escondiéndose
siempre. Uno pretende ser sincero ante el mundo, ante
Dios y consigo mismo, pero no se atreve a serlo ante su
mujer y sus hijos. ¡No, así no se puede vivir, no, no se
puede vivir!

SASCHA (*Asustada.*) — ¡Que viene mamá!

> (*El* SECRETARIO *hace girar rápidamente la llave
> en la cerradura.* TOLSTOI *va a su mesa. Para ocultar
> su excitación, se queda de espaldas a la puerta.*)

TOLSTOI (*Suspirando.*) — Las farsas de esta casa envenenan
mi alma. ¡Ah, si uno pudiera al fin ser del todo sincero,
al menos ante la muerte!

LA CONDESA (*Entra apresuradamente.*) — ¿Por qué no ve-
nís? Tardas siempre para todo.

TOLSTOI (*Volviéndose hacia ella con aspecto tranquilo, dice
lentamente, en un tono que sólo comprenden los otros:*)
Sí, tienes razón, siempre tardo para todo. Pero sólo hay
una cosa importante: que a uno le quede tiempo para
hacer en el momento oportuno lo que debe hacer y que
es justo.

ESCENA SEGUNDA

*En el mismo despacho. A hora avanzada de la noche del
día siguiente.*

EL SECRETARIO. — Tendría usted que acostarse más temprano hoy, León Nikolaievitch. Debe de estar muy fatigado después del largo paseo y de las emociones sufridas.

TOLSTOI. — No, no estoy cansado. Sólo hay una cosa que
cansa a los hombres: la vacilación, la incertidumbre.
Cualquier acción libera nuestro ánimo, incluso la peor
resulta mejor que la inacción. (*Va y viene por el despacho.*) Ignoro si he obrado bien hoy; debo consultar a
mi conciencia. El hecho de entregar mi obra a toda la
Humanidad ha quitado un enorme peso a mi corazón,
pero creo que no debía haber hecho mi testamento en
secreto, sino públicamente ante todos y con el valor del
convencimiento. Quizás he hecho de un modo indigno

lo que en provecho de la verdad hubiera tenido que hacer con franqueza..., pero, gracias a Dios, ya está hecho, es un paso más en la vida, uno más camino de la muerte. Aunque ahora queda lo último y lo más difícil: arrastrarse a la hora justa hacia la espesura, como un animal cuando le llega el fin, pues en esta casa mi muerte estaría en desacuerdo con mis ideas, como me ha sucedido en vida. Tengo ochenta y tres años, y todavía me cuesta encontrar fuerzas para desprenderme de todo lo terrenal, y tal vez se me está pasando la hora.

EL SECRETARIO. — Pero ¿quién sabe cuál es su hora? Si se supiera, sería una suerte.

TOLSTOI. — No, Vladimiro Georgevitch, no sería ninguna suerte. ¿No conoce usted la antigua leyenda de por qué Cristo quitó a los hombres el previo conocimiento del momento de la muerte? Me la contó un campesino. Antes, cada cual conocía su última hora, y cuando Cristo vino a la tierra advirtió que muchos labradores no cuidaban de su campo y vivían como pecadores. Al recriminar a uno por su negligencia, el labriego contestó con un gruñido: «¿Para qué tengo que sembrar la tierra si ya no viviré cuando llegue la cosecha?» Entonces reconoció Dios que no era bueno que los hombres conocieran cuándo debían morir, y les quitó el previo conocimiento de la hora fatal. Desde entonces, los labradores deben labrar la tierra hasta el último día, como si hubieran de vivir eternamente, y esto es muy justo, puesto que sólo con el trabajo nos hacemos acreedores de lo eterno. Así también quiero hoy todavía labrar el campo como cada día. *(Señala su diario.)*

  (Se oyen pasos fuera. Entra la CONDESA *en camisa de dormir y dirige una mirada agresiva al* SECRETARIO.*)*

LA CONDESA. — Ah, ya... Creía que por fin estarías solo... Quería hablar contigo...

EL SECRETARIO *(Se inclina ante ella.)* — Me iba ya.

Tolstoi. — Adiós, querido Vladimiro Georgevitch.

La Condesa *(Apenas se cerró la puerta tras él.)* — Siempre está a tu lado, pegado a ti como la hiedra..., y a mí, a mí me odia, quiere alejarme de ti ese hombre nefasto.

Tolstoi. — Eres injusta con él, Sonia.

La Condesa. — ¡No quiero ser justa! Se ha interpuesto entre nosotros, me ha robado tu cariño, te ha distanciado de tus hijos. Yo no significo ya nada desde que él está en esta casa; tú mismo perteneces a todo el mundo menos a nosotros, que somos tu familia.

Tolstoi. — ¡Si pudiera ser así realmente! La voluntad de Dios es que uno pertenezca a todos y no se reserve para sí y los suyos.

La Condesa. — Sí, ya sé, ésas son las ideas que te inculca ese ladrón en perjuicio de mis hijos. Por eso no puedo tolerar ya más su presencia en esta casa. No quiero que esté entre nosotros ese perturbador de nuestra vida familiar.

Tolstoi. — Pero, Sonia, tú sabes perfectamente que yo le necesito para mi trabajo.

La Condesa. — Encontrarás infinidad de secretarios mejores. No quiero tenerlo cerca. No quiero ver a ese hombre interpuesto entre tú y yo.

Tolstoi. — Pero, Sonia, mi buena y querida Sonia, no te excites. Ven, siéntate aquí, hablemos tranquilamente, como en otros tiempos, cuando empezó nuestra vida. Piensa, Sonia, que nos queda ya poco tiempo para decirnos cosas agradables y pasar días felices. *(La Condesa mira intranquila alrededor y se sienta temblorosa.)* Mira, Sonia, yo necesito a ese hombre; tal vez lo necesito porque mi fe es débil, ya que no soy todo lo fuerte que querría ser. Cada día se confirma más este hecho. Existen muchos millares de hombres por todo el mundo que comparten mis creencias pero, compréndelo, es de tal manera la naturaleza de nuestro pobre corazón terrenal, que para estar seguro de sí mismo necesita el amor evidente, tangible, respirable, por lo menos de una sola persona. Acaso los santos puedan sentirse fuertes dentro de sus celdas, sin desmayar incluso careciendo de testigos, pero ten en cuenta, Sonia, que yo no soy ningún santo, que yo no soy más que un hombre débil y viejo. Por eso necesito tener alguien a mi lado que comparta mis creencias, esa fe que ahora es lo más preciado de mi solitaria vida. Mi mayor felicidad hubiera sido el que tú misma, tú, a quien amo desde hace cuarenta y ocho años con profundo agradecimiento, hubieses sido la que compartiera mis convicciones religiosas. Pero, Sonia, tú no has querido nunca. Todo aquello que constituye el anhelo de mi alma, tú lo miras sin amor, y temo que acaso incluso con odio. (*La* Condesa *hace un movimiento.*) No, Sonia, no lo interpretes mal, yo no te acuso. Tú me has dado, y le has dado al mundo, lo que podías dar, mucho amor maternal y abnegación. ¿Cómo podías sacrificarte por una causa que tu alma no siente? ¿Cómo puedo echarte la culpa de que no compartas mis más íntimos pensamientos? La vida espiritual de un hombre, lo más recóndito de sus pensamientos, sigue siendo un secreto entre él y su Dios. Pero por fin ha venido a esta casa un hombre que acaba de padecer destierro en Siberia por sus convicciones y que ahora comparte las mías, que es mi colaborador, mi huésped preferido, que me ayuda y me fortalece en mi vida interior... ¿Por qué no quieres dejarme a ese hombre?

La Condesa. — Porque me ha convertido en una extraña para ti, y eso no lo puedo tolerar de ninguna manera. Me pone furiosa, me quita la salud, pues estoy segura de que todo lo que hace va contra mí. Hoy mismo, al mediodía, le he sorprendido mientras ocultaba apresuradamente un papel, y ninguno de vosotros ha sido capaz de mirarme cara a cara, ni él, ni tú, ni Sascha. Todos vosotros me ocultáis algo. Sí, lo sé, lo sé; habéis tramado algo malo contra mí.

TOLSTOI. — Espero que Dios, estando ya a pocos pasos de mi muerte, me guardará de hacer conscientemente nada malo.

LA CONDESA *(Apasionadamente.)* — Así, pues, no niegas que habéis hecho algo en secreto..., algo contra mí. ¡Ah! ¿Lo ves? A mí no me puedes mentir como a los demás.

TOLSTOI *(Exaltándose.)* — ¿Que miento a los demás? ¡Y eso me lo dices tú, cuando eres tú precisamente la causa de que yo aparezca como un farsante a los ojos de las gentes! *(Calmándose.)* Bien sabe Dios que no cometo conscientemente el pecado de la mentira. Tal vez por mi debilidad de carácter no he podido decir siempre la pura verdad, pero a pesar de ello no creo ser un embustero, ningún impostor.

LA CONDESA. — Entonces dime lo que habéis hecho. ¿Qué clase de carta era aquélla? No continúes atormentándome.

TOLSTOI *(Acercándose a ella con gran calma.)* — Sofía Andreievna, no soy yo quien te atormenta, sino tú la que me atormentas a mí, porque ya no me quieres. Si continuaras queriéndome, tendrías confianza en mí. Confianza incluso en las cosas que no entiendes. Sofía Andreievna, te lo suplico, mira bien el fondo de tu alma. ¡Hace cuarenta y ocho años que vivimos juntos! Acaso esos años hayan dejado olvidado en algún repliegue de ella un poco de amor para mí... Por favor, aviva ese rescoldo. Procura ser de nuevo la que fuiste para mí tanto tiempo, amante, confiada, abnegada y dulce, porque frecuentemente me horroriza, Sonia, pensar cómo te portas ahora conmigo.

LA CONDESA *(Conmovida y excitada.)* — Ya no sé cómo soy. Sí, tienes razón; me he vuelto odiosa y mala. Pero ¿quién sería capaz de contemplar tranquilamente tus

torturas por pretender ser más que un ser humano?
Antes, todo era sencillo y natural. Vivíamos como las
demás personas, digna y honradamente; cada cual se
ocupaba de lo suyo, se alternaban las penas con las ale-
grías y la felicidad, crecían los hijos y envejecíamos sin-
tiéndonos dichosos. Pero de repente, hace treinta años,
te acometió esa terrible obsesión, esas ideas que nos hacen desgraciados a todos, a ti y a nosotros. ¿Qué puedo
hacer yo por mi parte, si ni todavía hoy llego a captar el
sentido que pueda tener el que tú te empeñes en limpiar
estufas, en acarrear el agua, en remendarte tú mismo el
calzado? ¡Tú, a quien todo el mundo considera como
a uno de los más grandes escritores! Confieso que no se
me alcanza el motivo de que nuestra vida limpia, labo-
riosa y ahorrativa, tranquila y sencilla, haya de ser de
pronto un pecado ante las demás gentes. No, no puedo
comprenderlo. ¡Imposible!

TOLSTOI *(Muy suavemente.)* — ¿Ves, Sonia? Precisamente
eso es lo que te decía: incluso en lo que no podemos
comprender hemos de confiar apoyados en el amor. Así
sucede con los hombres y así sucede con Dios. ¿Crees
tú que yo me precio realmente de saber lo que es justo?
No, sólo confío en que lo que se hace honradamente,
aquello por lo cual uno sufre tan atrozmente, no puede
carecer totalmente de sentido ni de valor ante Dios y
ante los hombres. Procura, pues, tú también, Sonia, creer
un poco en lo que no me comprendes respecto a mí,
confía al menos en mi deseo de proceder justamente, y
todo, todo podrá arreglarse.

LA CONDESA *(Inquieta.)* — Pero luego me lo contarás
todo..., me dirás todo lo que habéis dicho hoy.

TOLSTOI *(Con gran serenidad.)* — Todo te lo diré. Ya no
ocultaré nada más, ni haré nada en secreto, en lo que
me reste de vida. Sólo espero que vuelvan Serioschka y
Andrei; entonces compareceré ante vosotros y os diré
sinceramente lo que he decidido en estos días. Pero, So-

nia, durante este breve plazo deja la desconfianza y no me vigiles. Es éste mi único y más encarecido ruego, Sofía Andreievna. ¿Lo entenderás?

LA CONDESA. — Sí..., sí..., claro...

TOLSTOI. — Te lo agradezco. Ya ves lo fáciles que resultan las cosas cuando existe la franqueza y la confianza. ¡Oh, qué suerte que hayamos podido hablar en paz y amistosamente! Has vuelto a alentar mi corazón. Y es que cuando entraste, la desconfianza se reflejaba en tu cara como una sombra: la inquietud y el odio que te dominaban me hacían encontrarte extraña, y, francamente, no podía ver en ti a la mujer de antaño. Pero ahora tu expresión ha vuelto a aclararse y reconozco de nuevo tus ojos. Tus juveniles ojos de antes, Sofía Andreievna, mirándome dulcemente. Pero ve a descansar ahora, amada mía, que es tarde. Te lo agradezco de todo corazón.

(*La besa en la frente. La* CONDESA *sale. Antes de transponer la puerta se vuelve de nuevo hacia él con excitación.*)

LA CONDESA. — Pero ¿me lo contarás todo? ¿Todo?

TOLSTOI (*Tranquilamente.*) — Todo te lo diré, Sonia. Y tú, por tu parte, piensa en tu promesa.

(*La* CONDESA *se va, pero lanzando una mirada recelosa hacia la mesa escritorio.*)

TOLSTOI (*Va y viene varias veces por el despacho, se sienta a la mesa y escribe algunas palabras en su diario. Al cabo de algunos momentos se levanta, pero se sienta otra vez y hojea el diario con aire pensativo y lee a media voz lo que acaba de escribir:*) «Me esfuerzo en mostrarme con Sofía Andreievna todo lo tranquilo y firme que me es posible, y creo que más o menos conseguiré calmarla. Esta noche he advertido por primera vez la posibilidad de lograr que ceda a base de bondad y cariño...» ¡Ah, si, en efecto...!

(*Deja el diario, respira hondamente y se dirige
al cuarto contiguo, donde enciende la luz. Luego
vuelve al despacho, se quita las pesadas botas de
campesino y la chaqueta. Apaga la luz y pasa, vistiendo sólo los anchos calzones y la blusa de trabajo,
al dormitorio contiguo. Durante un rato, el cuarto
queda en silencio y a oscuras. No se percibe ni la
respiración. De pronto abren silenciosamente la
puerta que da al despacho, con la cautela y sigilo
propios de un ladrón. En la oscuridad, alguien va a
tientas con una linterna que proyecta un rayo de luz
sobre el suelo. Es la* CONDESA. *Miedosamente se vuelve, mirando alrededor, escucha ante la puerta del
dormitorio y luego se desliza, ya más tranquila, hacia
la mesa del despacho. La linterna proyecta su blanco
círculo de luz exclusivamente sobre el centro del escritorio, dejando el resto sumido en la oscuridad,* LA
CONDESA, *de la que sólo pueden verse sus temblorosas
manos, coge el diario, que ha quedado sobre la mesa,
y empieza a leer nerviosamente. Abre uno por uno los
cajones y revuelve apresuradamente cuantos papeles
encuentra en ellos, pero no logra encontrar nada que
le interese. Por fin, con estremecido movimiento, coge
de nuevo la linterna y se marcha andando de puntillas.
Su cara está alterada, como la de un demente. Apenas
cierra la puerta,* LEÓN TOLSTOI *abre la de su dormitorio. Lleva en la mano una vela encendida que oscila
de un lado para otro, tan intensa es la excitación
nerviosa del anciano. Ha oído a su mujer en el despacho. Se dispone a ir tras ella, pero cuando tiene
ya la mano en el tirador de la puerta de entrada del
despacho, retrocede súbitamente con gesto violento.
Tranquila y resueltamente, coloca la vela sobre el escritorio, se acerca a la puerta de otra habitación con-
tigua del lado opuesto y llama en ella queda y precavidamente:*)

Tolstoi. — Duschan... Duschan...

La voz de Duschan (*Desde el interior de la habitación.*) — ¿Es usted, León Nikolaievitch?

Tolstoi. — ¡Más bajo, más bajo! Sal en seguida.

(Duschan *sale de su aposento sin acabar de vestirse.*)

Tolstoi. — Despierta a mi hija Alexandra Lvovna y dile que venga inmediatamente. Luego ve corriendo a la cuadra, para que Grigor enganche al coche los caballos, pero sin hacer ruido, para que nadie de la casa se entere. Y tú extrema el sigilo. No te calces, y ten cuidado, que las puertas chirrían. Hemos de marcharnos irremisiblemente; no podemos perder tiempo.

(Duschan *sale presuroso.* Tolstoi *se sienta. Con ademán resuelto se pone otra vez las botas, coge su chaqueta, vuelve precipitadamente a su despacho, busca algunos papeles y procura dominar su excitación. Sus movimientos son enérgicos y a veces febriles. Incluso mientras, sentado ante el escritorio, escribe algunas palabras en una hoja de papel, sus hombros tiemblan.*)

Sascha (*Entrando silenciosamente.*) — ¿Qué ha sucedido, padre?

Tolstoi. — Me voy, lo dejo todo... por fin... Ya está decidido. Hace una hora me había jurado tener confianza y ahora, a las tres de la madrugada, ha entrado aquí como un malhechor a revolver mis papeles. Pero todo sea para bien...; no ha sido obra de su voluntad, sino de la de Otro. ¡Cuántas veces había pedido a Dios que me hiciera una indicación cuando llegara el momento preciso, y me ha sido concedido, pues ahora tengo ya derecho a dejarla sola, ya que ella ha abandonado mi alma.

Sascha. — Pero ¿adónde vas a ir, padre?

Tolstoi. — No lo sé, no quiero saberlo... Adonde sea, pero fuera de aquí, donde falta la sinceridad..., adonde sea

Hay muchos caminos en la tierra, y en cualquier parte habrá un jergón de paja o algún lecho donde un anciano pueda morir en paz.

SASCHA. — Te acompaño.

TOLSTOI. — No. Tú tienes que quedarte para calmarla. Se alterará... ¡Ah, cuánto va a sufrir la pobre...! Y soy yo quien la hará sufrir. Pero no puedo hacer otra cosa..., no puedo más, me ahogo en este ambiente. Tú te quedarás hasta que vuelvan Andrei y Serioschka. Luego ven a reunirte conmigo. Iré primero al convento de Schamardino, para despedirme de mi hermana, pues presiento que llegó la hora de las despedidas.

DUSCHAN (*Vuelve apresuradamente.*) — El coche espera.

TOLSTOI. — Pues prepárate tú, Duschan. Toma, guarda los papeles...

SASCHA. — Pero, padre, llévate el abrigo de pieles; de noche hace un frío terrible. Te pondré en la maleta prendas de más abrigo.

TOLSTOI. — No, no te preocupes. ¡Dios mío, no debemos vacilar más...! No quiero esperar más... Hace treinta años que he estado esperando esta hora, este aviso... Date prisa, Duschan; alguien podría retenernos e impedir nuestra huida. Toma, coge los papeles, el diario, el lápiz...

SASCHA. — Y el dinero para el tren. Iré a buscarlo.

TOLSTOI. — ¡No, no más dinero! No quiero tocarlo más. En la estación me conocen y me darán el billete. Luego Dios me ayudará. Duschan, date prisa, vamos. (*A SASCHA:*) Tú dale esta carta: es mi despedida; que me perdone. Y escríbeme cómo soportó la prueba.

SASCHA. — Pero, padre, ¿cómo puedo escribirte? Por Correos sabrán en seguida tu paradero y te irán a buscar. Debes cambiar de nombre.

Tolstoi. — ¡Ah, siempre las mentiras! Mentir siempre, e
continuo rebajarse el alma con disimulos! Pero tienes
razón... ¡Vamos, Duschan...! Como quieras, Sascha...
Al fin y al cabo es para bien. ¿Cómo debo llamarme?

Sascha *(Reflexionando un momento.)* — Yo firmaré los
telegramas con el nombre de Frolova, y tú te llamarás
T. Nikolaiev.

Tolstoi *(Con una prisa casi febril.)* — T. Nikolaiev...
bien... bien. Adiós, hija mía. *(Abrazándola.)* Dices que
debo llamarme T. Nikolaiev. ¡Otra mentira todavía, una
más! Bueno, quiera Dios que ésta sea mi última falsedad
ante los hombres.

(Se marcha apresuradamente.)

Escena tercera

*Tres días más tarde, 31 de octubre de 1910. Sala de espera
de la estación de Astapovo. A la derecha hay una gran
puerta de cristales que da al andén; a la izquierda, otra
puerta menor que conduce a la vivienda del jefe de estación*
Iván Ivanovitch Osoling. *En los bancos de madera de la
sala de espera, alrededor de una mesa, hay algunos viajeros
sentados, esperando el rápido de Danlov; campesinas que
duermen envueltas en sus mantones; algunos negociantes en
pieles de oveja, y algunos, al parecer, empleados o comer
ciantes de gran ciudad.*

Viajero 1.º *(Leyendo un periódico, de repente, en voz
alta:)* — ¡Esto sí que ha sido magnífico! ¡Una bella ha
zaña del viejo! ¡Nadie lo hubiera sospechado!

Viajero 2.º — ¿Qué ocurre?

Viajero 1.º — Pues que León Tolstoi se ha fugado de su
casa y nadie sabe adónde. En plena noche lo preparó
todo, se calzó las botas, se abrigó con las pieles y así

sin equipajes y sin despedirse de nadie, se marchó acompañado únicamente por su médico, Duschan Petrovitch.

VIAJERO 2.º — ¿Y dejó en casa a la pobre anciana? No es muy agradable para Sofía Andreievna. Él debe de tener ahora unos ochenta y tres años. ¡Quién lo hubiera imaginado! ¿Y adónde dices que ha ido?

VIAJERO 1.º — Eso es precisamente lo que quisieran saber los de su casa y también los periodistas. Están telegrafiando a todas partes del mundo. Alguien pretende haberle visto en la frontera búlgara, y otros hablan incluso de Siberia. Pero en realidad no hay nadie que sepa nada. ¡El viejo ha hecho las cosas a conciencia!

VIAJERO 3.º *(Joven estudiante.)* — ¿Qué dicen? ¿Qué Tolstoi huyó de su casa? Por favor, déjenme el periódico; quiero leerlo con mis propios ojos. *(Lanza un rápido vistazo al diario.)* ¡Oh, qué bien, qué bien que por fin se haya decidido a hacerlo!

VIAJERO 1.º — ¿Por qué bien?

VIAJERO 3.º — Porque era una deshonra para él vivir en desacuerdo con sus palabras. Bastante tiempo le han obligado a representar el papel de conde, apagándole la voz con adulaciones. Ahora podrá León Tolstoi dirigirse a los hombres libremente siguiendo los dictados de su alma, y quiera Dios que por medio de él se entere el mundo de lo que le sucede al pueblo ruso. Sí, es una suerte, una bendición para Rusia que ese santo varón se haya librado por fin de las trabas que le retenían.

VIAJERO 2.º — Quizá no exista nada de verdad en esta noticia, quizá... *(Se vuelve a mirar alrededor para convencerse de que nadie sospechoso los vigila, y dice en un susurro:)* Tal vez sólo lo han publicado en los periódicos para despistar y en realidad lo hayan secuestrado para hacerle desaparecer.

VIAJERO 1.º — ¿Quién puede tener interés en hacer desaparecer a León Tolstoi?

VIAJERO 2.º — Todos aquellos... en cuyo camino se interpone... Todos: el Sínodo, la policía, los militares... Sí, todos los que le temen. Algunos han desaparecido ya así, y luego dijeron que habían sido expulsados al extranjero. Pero ya sabemos todos a lo que llaman esas gentes «el extranjero».

VIAJERO 1.º *(También en voz baja.)* — Ya podría ser...

VIAJERO 3.º — No, a eso no se atreven. Ese hombre, con su sola palabra, es más fuerte que todos ellos. No, a eso no se atreverían, pues saben que iríamos a arrancarlo de sus garras por la violencia.

VIAJERO 1.º *(Con energía.)* ¡Cuidado! Viene Cirilo Gregorovitch... Esconded el periódico...

> *(Por la encristalada puerta del andén, y vestido de uniforme, aparece el comisario de policía* CIRILO GREGOROVITCH. *Se dirige al despacho del jefe y llama a la puerta.)*

IVÁN IVANOVITCH *(Saliendo con la gorra de servicio puesta.)* — ¡Ah, es usted, Cirilo Gregorovitch!

COMISARIO DE POLICÍA. — Tengo que hablar con usted en seguida. ¿Está su esposa en casa?

JEFE DE ESTACIÓN. — Sí.

COMISARIO DE POLICÍA. — Entonces hablaremos aquí mismo. *(A los viajeros, en tono enérgico y autoritario:)* El rápido de Danlov llegará dentro de unos momentos. Hagan el favor de evacuar la sala de espera y dirigirse al andén. *(Levántanse todos y salen apretujándose. El* COMISARIO DE POLICÍA *dice al* JEFE DE ESTACIÓN:*)* Acaban de llegar telegramas cifrados muy importantes. Se ha comprobado que León Tolstoi, en su fuga, ha estado anteayer a visitar a su hermana en el convento de Schamardino. Ciertos indicios hacen suponer que intenta continuar el viaje desde allí, y todos los trenes que salen de aquella población, en la dirección que sea, serán vigilados por agentes de policía.

JEFE DE ESTACIÓN. — Pero, acláreme esto, padrecito Cirilo Gregorovitch. ¿A qué se debe eso? Al fin y al cabo, no es ningún perturbador del orden. León Tolstoi es una honra para nosotros, un verdadero tesoro para nuestro país. Un hombre eminente.

COMISARIO DE POLICÍA. — Pero es más peligroso y produce más desorden él que toda la pandilla de revolucionarios juntos. Además, a mí tanto se me da; yo sólo tengo la obligación de vigilar todos los trenes. Como en Moscú quieren que nuestras pesquisas sean secretas, le ruego, Iván Ivanovitch, que vaya usted al andén en mi lugar, ya que a mí me delataría el uniforme. En cuanto llegue el tren, bajará de él un individuo de la policía secreta que le comunicará a usted lo que haya observado durante el viaje. Luego enviaré yo las noticias que se reciban.

JEFE DE ESTACIÓN. — Pierda cuidado, que me ocuparé de ello.

(Suena la campana anunciando la llegada del tren.)

COMISARIO DE POLICÍA. — Usted debe saludar al agente sin llamar la atención, como si fuese un antiguo conocido, ¿entiende? Los pasajeros no deben advertir que son vigilados. Tenga en cuenta que si lo hacemos todo hábilmente, puede este asunto redundar en beneficio nuestro; suyo y mío, ya que cada informe que va a San Petersburgo llega hasta la suprema autoridad; tal vez esto nos valga a los dos la Cruz de San Jorge.

(Llega el tren y entra con estrépito. El JEFE DE ESTACIÓN sale inmediatamente por la puerta de cristales. Al cabo de algunos minutos van llegando los primeros viajeros, campesinos de ambos sexos con grandes cestos, hablando ruidosamente. Algunos se sientan en la sala de espera para descansar o hacerse el té. El COMISARIO DE POLICÍA se va.)

JEFE DE ESTACIÓN *(Entrando de súbito. Excitado y a gritos se dirige a los que están sentados allí.)* — ¡Salgan de la sala inmediatamente! ¡Todos fuera! ¡En seguida!

LA GENTE *(Sorprendida y murmurando)* — Pero ¿por qué? Nosotros hemos pagado nuestro billete... ¿Por qué no tenemos derecho a sentarnos en la sala de espera si estamos esperando otro tren?

JEFE DE ESTACIÓN *(Gritando.)* — ¡Inmediatamente, he dicho! ¡Pronto, todos fuera! *(Se abre paso entre la gente y corre hacia la puerta, que abre de par en par.)* Aquí, por favor, entren al señor conde aquí.

(Conducido a su derecha por DUSCHAN *y a su izquierda por su hija* SASCHA, TOLSTOI *entra penosamente. Lleva el cuello del abrigo de piel subido hasta las orejas y, además, una bufanda al cuello, a pesar de lo cual se le ve temblar de frío. Detrás de él se apretujan cinco o seis personas más.)*

JEFE DE ESTACIÓN *(A los que entran.)* — ¡Quédense afuera!

VOCES. — Déjenos usted..., sólo queremos ayudar a León Nikolaievitch... Tal vez un poco de coñac o de té...

JEFE DE ESTACIÓN *(Muy sobresaltado.)* — ¡Nadie puede entrar aquí! *(Los empuja con violencia hacia atrás y cierra la puerta que da al andén. Mientras tanto, van desfilando ante la encristalada puerta gentes que al pasar miran curiosas lo que sucede en el interior. El* JEFE DE ESTACIÓN *ha cogido apresuradamente una silla y la ha puesto junto a la mesa.)* ¿No quiere Su Excelencia sentarse para descansar un poco?

TOLSTOI. — No me llame Excelencia. Gracias a Dios, eso ha terminado... para siempre. *(Mira excitado a su alrededor y se fija en la gente que se agrupa ante la puerta de cristales.)* ¡Que se vayan...! Quiero estar solo... Siempre gente... ¡Quiero estar solo por fin!

*(*SASCHA *va a la puerta vidriera y la cubre presurosamente con los abrigos.)*

DUSCHAN *(Hablando entre tanto en voz baja con el* JEFE DE ESTACIÓN.*)* — Hay que acostarle inmediatamente; en el tren le acometió de repente un acceso de fiebre de más de cuarenta grados; está muy mal. ¿Hay por aquí alguna posada con habitaciones algo decentes?

JEFE DE ESTACIÓN. — No. En todo Astapovo no existe ninguna posada.

DUSCHAN. — Pero es preciso que se acueste en seguida. Ya ve usted cómo tirita de fiebre. Puede ser peligroso.

JEFE DE ESTACIÓN. — Yo, naturalmente, me sentiría honradísimo cediéndole a León Tolstoi mi cuarto..., que está ahí cerca, pero es tan pobre, tan sencillo... Un cuarto de servicio, en planta baja, estrecho... ¡Cómo iba yo a atreverme a alojar en él a León Tolstoi...!

DUSCHAN. — No importa; lo más urgente es acostarlo. *(Luego se dirige a* TOLSTOI, *que, dominado por la fiebre, se halla junto a la mesa, estremecido por continuos escalofríos.)* El señor Jefe de Estación es tan amable que nos ofrece su cuarto. Usted debe descansar ahora. Mañana ya estará bien otra vez y podremos continuar el viaje.

TOLSTOI. — ¿Continuar el viaje? No, no, creo que no podré viajar más. Éste ha sido mi último viaje... y estoy ya en la meta.

DUSCHAN *(Animándole.)* — No se preocupe por un poco de fiebre. Se ha enfriado usted, eso es todo. Mañana ya se encontrará completamente bien.

TOLSTOI. — Me encuentro bien..., completamente bien ahora... ¡Pero lo de esta noche ha sido horrible! Me asaltó la idea de que podían seguirme desde casa, que vendrían a buscarme y llevarme otra vez a aquel infierno..., y entonces me levanté y le he despertado. No me ha dejado en todo el camino ese temor ni esta fiebre que me hace castañetear los dientes... Y ahora, desde que estoy aquí... Pero ¿dónde estoy en realidad? No vi jamás este lugar. ¡Todo es tan distinto...!

DUSCHAN. — Claro, claro que no. Puede acostarse tranquilo, que aquí nadie podrá encontrarle.

> (SASCHA y DUSCHAN *ayudan a* TOLSTOI *a levantarse.*)

JEFE DE ESTACIÓN *(Saliendo a su encuentro.)* — Perdone qué sólo pueda ofrecerle una habitación sencillísima..., mi propia habitación... Y la cama tampoco es buena..., una simple cama de hierro... Pero ya lo arreglaré todo; telegrafiaré inmediatamente para que me envíen otra en el próximo tren.

TOLSTOI. — No, no, ninguna otra... Durante mucho tiempo, demasiado tiempo, he tenido cosas mejores que los demás. ¡Cuanto peor sean ahora, tanto mejor para mí! ¿Dónde mueren los campesinos? ¡Y también ellos tienen una buena muerte...!

SASCHA *(Continúa ayudándole.)* — Vamos, padre, vamos; debes de estar fatigado.

TOLSTOI *(Deteniéndose una vez más.)* — No sé..., aunque sí, estoy fatigado, tienes razón, todos los miembros me pesan, estoy muy cansado, y, no obstante, espero algo... Es como cuando uno tiene sueño y no puede dormir pensando que le espera algo bueno y no quiere perder aquella grata sensación. Es extraño..., jamás me había sentido así... Quizás esto tenga ya algo que ver con la muerte. Durante muchos años, ya lo sabéis, tuve siempre miedo a la muerte, tanto que no podía acostarme estando enfermo, y hubiera sido capaz de gritar y de esconderme como un animal perseguido. Y ahora, tal vez esté la muerte esperándome en ese cuarto y, sin embargo, voy a su encuentro sin ningún miedo.

> (SASCHA y DUSCHAN *lo han sostenido hasta llegar a la puerta.*)

TOLSTOI *(Detenido en el umbral de la habitación y mirando*

hacia dentro.) — Me gusta esto. Pequeña, estrecha, baja, pobre... Me parece haber soñado alguna vez con una habitación así: una cama extraña, en casa ajena, en la que yace una persona..., un hombre viejo y cansado... A ver, ¿cómo se llamaba? Lo escribí hace algunos años. ¿Cómo se llamaba aquel hombre...? Antes había sido rico y luego vuelve completamente pobre, y nadie le reconoce y él se arrastra hasta la cama que hay junto a la estufa... ¡Ah, mi pobre cabeza, qué pesadez siento en ella...! ¿Cómo se llamaba ese hombre...? El anciano que había sido rico y ahora sólo le queda la camisa que cubre su cuerpo... Y la mujer que le mortificaba no está a su lado en el momento de morir... Sí, ya lo sé, ya lo sé; en mi narración di el nombre de Kornei Vasiliev a aquel pobre anciano. Y la noche en que él muere, Dios llama al corazón de su mujer, y ella va a verle por última vez... Pero llega demasiado tarde. Él está ya rígido en la cama ajena, con los ojos cerrados, y la mujer no sabe si él sigue enojado o si la ha perdonado. Sofía Andreievna no puede saberlo... *(Como si despertara de un sueño.)* No, no, se llamaba María..., ya empiezo a confundirme... Sí, me acostaré. (SASCHA *y el* JEFE DE ESTACIÓN *siguen ayudándole a sostenerse.* TOLSTOI *se dirige al* JEFE DE ESTACIÓN:) Te agradezco mucho, hombre desconocido para mí, que me hayas dado albergue en tu casa, que me des lo que en la selva tiene la fiera..., albergue hacia el cual Dios me ha enviado, a mí, Kornei Vasiliev... *(Aterrorizado de pronto.)* Pero cerrad bien la puerta; no dejéis entrar a nadie..., no quiero ver a nadie..., deseo estar a solas con Él, de un modo más profundo, como nunca en mi vida.

(SASCHA *y* DUSCHAN *lo llevan hasta el lecho. El* JEFE DE ESTACIÓN *cierra precavidamente la puerta detrás de ellos y permanece en pie, sobrecogido. Se oye llamar con violencia a la puerta de cristal. El* JEFE DE ESTACIÓN *abre, y entra apresuradamente el* COMISARIO DE POLICÍA.)

COMISARIO DE POLICÍA. — ¿Qué le ha dicho a usted? Tengo que dar parte de todo inmediatamente. ¿Va a quedarse aquí por fin? ¿Cuánto tiempo?

JEFE DE ESTACIÓN. — Eso no lo sabe ni él ni nadie. Sólo Dios lo sabe.

COMISARIO DE POLICÍA. — Pero ¿cómo se le ocurrió a usted darle albergue en un edificio del Estado? Ésta es su vivienda oficial y no tiene usted derecho a ofrecérsela a un extraño.

JEFE DE ESTACIÓN. — León Tolstoi no es ningún extraño para mi corazón. Ni un hermano está más cerca de mí en espíritu.

COMISARIO DE POLICÍA. — Pero su deber le obligaba a preguntar antes de hacer una cosa así.

JEFE DE ESTACIÓN. — Consulté con mi conciencia.

COMISARIO DE POLICÍA. — Bien, allá usted. Yo voy a enviar inmediatamente mi informe. ¡Es terrible la responsabilidad que cae de pronto sobre uno! ¡Si al menos supiera cómo se considera a León Tolstoi en las altas esferas!

JEFE DE ESTACIÓN *(Con gran calma.)* — Yo creo que en las verdaderas alturas se ha tenido siempre muy buen concepto de León Tolstoi.

(*El* COMISARIO DE POLICÍA *le mira perplejo.* DUSCHAN *y* SASCHA *salen del cuarto, cerrando cuidadosamente la puerta tras ellos. El* COMISARIO DE POLICÍA *se aleja presuroso.*)

JEFE DE ESTACIÓN. — ¿Cómo está el señor conde?

DUSCHAN. — Completamente tranquilo. Jamás le había visto una expresión tan plácida. Aquí puede por fin encontrar lo que los hombres jamás le concedieron: la paz. Por primera vez está a solas con su Dios.

JEFE DE ESTACIÓN. — Perdóneme usted..., pero estoy tan conmovido, y mi inteligencia es tan limitada, que no puedo comprender cómo pudo Dios acumular tantas penas sobre él hasta el punto de tener que huir de su casa y venir a morir aquí, en mi pobre lecho. ¿Cómo pudieron los hombres, los hombres rusos, turbar de tal modo alma tan santa, en vez de amarle y respetarle fervorosamente?

DUSCHAN. — Precisamente quienes aman a un grande hombre se suelen interponer entre él y su labor, y ha de huir de los seres más allegados por su ceguera e incomprensión. Esta muerte santifica y completa su vida.

JEFE DE ESTACIÓN. — Pero yo..., yo no puedo ni quiero comprender que este hombre, este tesoro de nuestra patria rusa, tuviera que sufrir por nosotros y sin que se nos ocurriera pensar en lo que a él le ocurría. Deberíamos avergonzarnos...

DUSCHAN. — No le compadezca, buen hombre; un destino vulgar no hubiera correspondido a su grandeza. Si no hubiese sufrido por nosotros, León Tolstoi no habría llegado a ser lo que es hoy para la Humanidad.

LA HAZAÑA DEL POLO SUR

CAPITÁN SCOTT. - 90° DE LATITUD.
16 DE ENERO DE 1912

La conquista de la Tierra

Nos hallamos en el siglo xx y ante un mundo que ya no tiene secretos, en el que no quedan tierras por descubrir ni mares por surcar. Países cuyos nombres, en la anterior generación, eran apenas conocidos, se encuentran hoy sojuzgados por Europa, sirviendo a sus necesidades. Los barcos se remontan, actualmente, hasta las fuentes del Nilo, que durante infinidad de tiempo se buscaron en vano. Las cataratas Victoria, que un europeo contempló por primera vez hace medio siglo, producen ahora energía eléctrica. Incluso el baluarte de la naturaleza virgen, las selvas del Amazonas, ha sido explorado ya. El muro que aislaba el último país inviolado, el Tíbet, ha sido derrumbado también. Nuestro siglo conoce perfectamente su destino, pero su inquietud investigadora no se detiene aquí y, en busca de nuevos rumbos, desciende a los océanos para arrancar los secretos de las faunas abisales, o se remonta al cielo para conquistar el espacio, donde están ahora los derroteros inexplorados. Cual golondrinas de acero surcan el aire los aeroplanos, disputándose los modernísimos campeonatos de altura y de distancia.

Pero en los albores de nuestro siglo existen dos lugares que esconden con rubor sus misterios ante la mirada inquisitiva del hombre; la Tierra conservó intactos esos dos puntos inaccesibles llamados Polo Norte y Polo Sur, esos puntos extremos de la columna vertebral de su cuerpo, alrededor de los cuales gira desde incontables milenios. Inmensas murallas de hielo se levantan ante su secreto, defendido por el eterno invierno. Fríos atroces y asoladoras tempestades se interponen en el camino de los más osados descubridores, que, atacados por imponderables peligros, víctimas de los elementos desencadenados, han de renunciar a seguir adelante. El mismo sol envía unos oblicuos y tímidos rayos a las cerradas esferas que permanecen fuera del alcance de la mirada humana.

Tiempos atrás se realizaron varias expediciones, que vieron frustrado su intento. En un desconocido lugar de aquellas inmensidades reposa en su cristalina tumba de hielo el cuerpo de un tal Andrée, el cual, hace treinta y tres años, pretendió llegar al Polo en globo y no regresó. Todos los asaltos se estrellaban ante aquellos gélidos muros, ante aquel frío lacerante y aterrador. Durante miles y miles de años, la Tierra ha conservado allí su propia fisonomía, resistiéndose victoriosamente a la pasión de sus criaturas.

Pero ha sonado la hora del siglo XX, el cual tendió sus manos con impaciencia, provisto de nuevas armas creadas en su laboratorio, que suponen nuevos escudos contra los mil peligros, acuciado precisamente por la resistencia que se opone a su paso. Arde en deseos de conocer la verdad, de conseguir desde sus primeros años lo que no lograron los siglos que le precedieron.

Al valor individual se une la competencia de las naciones. No se lucha sólo por descubrir el Polo, sino por cuál habrá de ser la bandera que ondeará sobre la tierra virgen. Y empieza una especie de cruzada de razas y pueblos por la conquista de aquellos parajes, circundados de la mística aureola que crea sobre ellos el anhelo de su descubrimiento.

Acuden a renovar los intentos desde todas las partes del mundo. La Humanidad espera ansiosa, pues sabe que se trata del último secreto que queda por descubrir.

Peray y Cook, desde Norteamérica, se dirigen al Polo Norte, y dos buques zarpan hacia el Antártico, uno a las órdenes del noruego Amundsen y el otro bajo el mando del inglés Scott.

Scott es uno de tantos capitanes de la marina británica. Su biografía puede resumirse en estas breves palabras : había ido ascendiendo por riguroso escalafón. Sirvió a satisfacción de sus jefes y tomó parte en la expedición de Shackleton. Nada hay que permita descubrir en él al héroe.

Su aspecto físico, como revela su fotografía, es el común entre los ingleses : un rostro frío, enérgico, flemático; su envaramiento es puramente exterior. Sus ojos son grises, y la boca, inexpresiva... Ni un rasgo romántico, ni se advierte ninguna alegría en aquel semblante, que expresa sólo voluntad y sentido práctico.

Su caligrafía es vulgar, de una típica letra inglesa, sin rasgos particulares. Su estilo es simplemente claro, diáfano, correcto, realista y sin fantasías. Escribe el inglés como Tácito el latín : sin retórica rebuscada.

Se adivina en él al fanático de la objetividad, ejemplar puro de la raza británica, cuya genialidad en todo caso permanece encauzada por el cumplimiento del deber. El apellido Scott aparece repetidamente en la historia de Inglaterra : pudo llamarse así el conquistador de la India y de tantas islas del Pacífico, el colonizador de África, el que libró batallas contra el mundo. Y siempre lo hizo con la misma inmutable energía e idéntica conciencia colectiva, con el mismo rostro frío e impenetrable.

Pero Scott tiene una voluntad de acero, puesta a prueba antes ya de realizar su hazaña : dar término a la obra iniciada por Shackleton. Para ello intenta organizar una expedición, y aunque los medios propios no le bastan, no se desanima y contrae deudas, seguro como está de su triunfo. Su joven esposa le da un hijo, pero tampoco este hecho influye en su determinación de llevar a cabo el intento, y, cual otro Héctor, abandona a su Andrómaca. Ninguna consideración humana detendrá su voluntad. Reúne algunos compañeros para su obra...

Al buque que debe llevarlos hasta los límites del mar Glacial le da el nombre de *Terra Nova*. Un extraño buque, mitad arca de Noé llena de animales, mitad laboratorio, por la profusión de instrumentos y la abundancia de libros. De todo hay que llevar a aquellos inhóspitos lugares: de lo que el hombre necesita para su cuerpo y de lo que precisa para el espíritu; pieles y animales, como los hombres primitivos, y, junto a esto, lo más moderno, lo más refinado, lo más avanzado de los tiempos presentes.

Si fantástica es la embarcación, también lo es la empresa, que ofrece un doble aspecto: el de la aventura, pero calculada con la frialdad de un negocio. Es la audacia, con todas las previsiones de la prudencia. Con absoluta fe en sí mismo, no teme enfrentarse con los infinitos peligros que encierra aquella expedición.

Salen de Inglaterra el 1.º de junio de 1910.

Los campos ingleses están en todo su esplendor; la primavera florece, los prados se extienden verdes y jugosos y el sol brilla en un claro y límpido cielo. Los expedicionarios ven emocionados como la costa se va desdibujando hasta desaparecer de su vista. Todos saben que se despiden del sol y del calor por más de un año, y algunos quizá para siempre. Pero la bandera inglesa ondea en lo alto del mástil en la proa del buque, y se consuelan pensando que llevan consigo aquel símbolo de la patria, acompañándolos hasta el último ámbito de la tierra no conquistada todavía.

UNIVERSIDAD ANTÁRTICA

En el mes de enero, después de un corto descanso, desembarcan en Nueva Zelanda, en las proximidades del cabo Evans, en la región de los hielos eternos, donde montan una vivienda para pasar el invierno. Diciembre y enero se consideran allí meses de verano, porque es el único período del año en que el sol luce unas pocas horas en lo alto de un blanco y metálico cielo.

Las paredes del refugio son, como en anteriores expediciones, de madera, pero con detalles reveladores del progreso de los tiempos. Mientras los que les han precedido habían de conformarse con la mortecina y maloliente lámpara de aceite, viviendo en medio de una deprimente penumbra y hastiados de la monotonía de tantos días sin sol, estos hombres del siglo xx reúnen a su alrededor todos los adelantos de la época.

Disponen de la blanca luz de las lámparas de acetileno; el cinematógrafo les ofrece visiones de las tierras lejanas, escenas tropicales, parajes templados; un gramófono los alegra con música y canto, además del esparcimiento que les procura la lectura de los libros que han traído consigo. En una de las habitaciones teclea la máquina de escribir; otra sirve de cámara oscura, y en ella son reveladas las películas y las fotografías en colores.

El geólogo estudia la radiactividad de las piedras; el zoólogo descubre nuevos parásitos en los pingüinos que capturan; las observaciones meteorológicas se alternan con los experimentos físicos. Durante aquellos largos meses de oscuridad, cada uno tiene asignada una labor, convirtiéndose la investigación particular en instrucción común. Aquellos veinte hombres tienen, todas las noches, conferencias y clases universitarias; en noble hermandad, cada cual transmite a su compañero la ciencia que adquiere, y las mutuas conversaciones van ampliando su idea del mundo y de la vida. En un ambiente primitivo y elemental como aquél, aislados, fuera de la marcha del tiempo, los veinte hombres cambian entre sí los últimos conocimientos del siglo xx, espiando no sólo la hora, sino el segundo, en el reloj del universo.

Resulta conmovedor leer cómo celebran ingenuamente la fiesta de Navidad, sin que falte el tradicional árbol de Noël, y cómo gozan con las inocentes bromas del *South Polar Times*, periódico humorístico que ellos mismos redactan. Cualquier suceso insignificante — la aparición de una ballena o la caída de un caballo — adquiere para ellos caracteres de acontecimiento, mientras las cosas realmente grandiosas — la aurora boreal, el insoportable frío o la espantosa soledad — las consideran, habituados ya a ellas en su vivir cotidiano, como algo normal y sin importancia.

Entre tanto se preparan, probando los trineos automóviles, aprendiendo a esquiar, adiestrando a los perros, abasteciendo un depósito de campaña para el gran viaje que les espera. El tiempo transcurre lentamente, hasta que en diciembre, con el verano, un vapor arriba con noticias de su patria. Para hacer prácticas, realizan excursiones desafiando aquel frío glacial y, deseosos de asegurar su obra, prueban la resistencia de las telas de sus tiendas. No triunfan siempre, pero precisamente esas mismas dificultades son nuevos acicates para continuar. Cuando regresan de sus expediciones, helados y rendidos, encuentran caras alegres y un brillante fuego que los reanima, y aquel rústico refugio, a 77° de latitud, les parece la más confortable y señorial residencia del mundo.

Pero un día, una expedición que había salido en dirección oeste trae una noticia un tanto desalentadora: habían descubierto el campamento de Amundsen. Y Scott se da cuenta de que, además del hielo y de los muchos peligros que han de vencer, había alguien que les disputaba la gloria de ser los primeros en arrebatar el secreto a la región que tan celosamente lo ha guardado hasta entonces. El noruego Amundsen se encuentra allí. Al consultar los mapas comprueba que el campamento de Amundsen está ciento diez kilómetros más cerca del Polo que el suyo, pero supera el desánimo y escribe en su diario: «Adelante, por el honor de mi patria.»

Sólo esta vez aparece el nombre de Amundsen en las páginas de ese diario, pero indudablemente todos sienten cierta angustia desde aquel momento. Y no pasa día sin que tal nombre turbe el sueño de todos.

¡HACIA EL POLO!

En la cumbre de una colina utilizada como observatorio y situada a dos kilómetros de distancia de la cabaña hay un puesto de guardia permanente. En aquella solitaria altura se ha instalado un aparato que parece un cañón dirigido contra un enemigo invisible y que tiene la misión de medir las calorías del sol, que se va aproximando. Día tras día se consultan con impaciencia los resultados. En el cielo matina aparecen ya los primeros y maravillosos fulgores del sol, pero el dorado disco no se decide a remontarse todavía sobre el horizonte, aunque el cielo está lleno de la mágica luz que satura de alegría a aquellos impacientes expedicionarios.

Por fin ha llegado el momento. Un aviso telefónico desde el observatorio les comunica la aparición del sol.

¡El sol, el sol ha levantado su disco después de meses interminables de noche invernal! Su brillo es pálido y débil, como sin ánimos para infundir vida a aquella helada soledad. Apenas si lo registra el aparato, pero sólo el vislumbrarlo hace que se desborde el entusiasmo.

Se realizan febrilmente los últimos preparativos, a fin de aprovechar el corto período de luz en que allí se resumen primavera, verano y otoño, y que nosotros consideraríamos desagradable invierno. Marchan en cabeza los trineos automóviles, siguiéndolos después los que son arrastrados por mulos y perros siberianos. La ruta está dividida cuidadosamente en varias etapas; cada dos días de camino se instala un campamento-depósito, que tendrá por objeto suministrar, al regreso, ropas, alimentos, petróleo y lo más indispensable que pueda proporcionar calor en aquellos hielos perpetuos.

Todo aquel ejército de hombres osados y heroicos emprende la marcha, regresando luego por grupos, formando el último grupo el de los elegidos, el de los conquistadores del Polo, que tendrá que llevar la máxima carga y dispondrá de los animales más resistentes y de los mejores trineos.

El plan es magistral; ha sido concebido previendo los menores detalles o acontecimientos adversos. Las dificultades no tardan en presentarse. A los dos días de viaje se averían los trineos automóviles, que han de ser abandonados como carga inútil; tampoco los mulos dan el resultado que se esperaba...; pero una vez más triunfa la materia viva sobre la fría mecánica, pues las acémilas que ha habido que matar sirven de alimento a los perros, cosa que les proporciona nuevas calorías y renovadas fuerzas.

El 1.º de noviembre se distribuyen en varios grupos. En las fotografías puede verse una caravana, formada por vein-

te hombres al principio, y después diez, y luego cinco hom
bres, que van caminando por el blanco desierto de aque
mundo inhóspito, carente del menor hálito de vida.

Delante va siempre un expedicionario, envuelto en pie
les, un ser de aspecto salvaje, que sólo deja ver los ojos y la
barba. Su enguantada mano conduce del ronzal a un mule
que arrastra un cargado trineo; detrás de él va otro con
igual indumentaria; luego otro, y así sucesivamente hasta
veinte; puntos negros en línea oscilante, destacándose en la
inmensa y deslumbradora llanura. Al llegar la noche se aga
zapan en las tiendas, al abrigo de los muros de nieve levan
tados contra la dirección del viento para proteger a los ani
males, y a la mañana siguiente reemprenden la marcha
monótona, silenciosamente, a través del viento glacial, de
aquel aire virgen que después de incontables milenios e
respirado por primera vez por los pulmones del hombre.

Aumentan las preocupaciones. El tiempo se hace po
momentos más desagradable y, en lugar de los cuarenta ki
lómetros que pretendían recorrer por jornada, sólo avanza
treinta, a pesar de que cada día es un tesoro, ya que saber
que desde otro punto invisible de aquella soledad alguien
se dirige hacia el mismo objetivo.

El incidente más pequeño supone un gran peligro. Un
perro que se escapa, un mulo que se desvía, resultan sobra
dos motivos para angustiarse en aquellos desolados lugares
Allí todo ser vivo tiene un valor que no se puede medir
pues no puede ser sustituido. De la herradura de un mule
depende tal vez la inmortalidad. Una tempestad puede hace
fracasar una gesta que sería, de poder realizarse, eterna
mente gloriosa.

La salud de los expedicionarios empieza a resentirse
unos sufren deslumbramientos con la nieve; a otros se le
hielan los miembros... Los mulos dan muestras de agota
miento, a pesar de lo cual hay que reducirles la ración, y po
fin, en las proximidades del glaciar de Beardmore, todos lo
pobres animales sucumben. Se han de enfrentar con el peno
so deber de tener que matar a las valientes bestias que en
aquellas soledades han sido, durante dos años, entrañable

amigos; todas ellas eran conocidas por sus nombres, ¡y en cuántas ocasiones las han colmado de caricias...! A aquel campamento trágico le dieron el nombre de «El Matadero».

Una parte de la expedición se separa en aquel lugar sangriento y retrocede hasta la base, mientras la otra se dispone a llevar a cabo el último esfuerzo, a través del glaciar, de aquella invencible muralla de hielo que rodea el Polo y que sólo la firme e inconmovible voluntad de un hombre puede romper.

Cada vez recorren menos distancia. La nieve se adhiere a los trineos, que ya no se deslizan, sino que tienen que ser arrastrados a viva fuerza. El hielo corta como cristal y les hiere los pies, pero no retroceden. El día 30 de diciembre llegan al grado 87 de latitud, punto alcanzado por Shackleton.

Allí ha de retroceder el último grupo; sólo cuatro elegidos deben acompañar a Scott al Polo.

Scott hace la selección. Los que son descartados no se atreven a protestar, pero sienten de veras tener que dejar en otras manos la gloria de ser los primeros en llegar hasta el fin. Pero la suerte está echada.

El último apretón de manos, un esfuerzo varonil para disimular la emoción y los grupos se separan. Dos reducidas caravanas emprenden la marcha en dirección opuesta: la una hacia el Sur, hacia lo desconocido; la otra hacia el Norte, hacia la patria. Continuamente vuelven la vista unos a otros, para despedirse con la mirada de los entrañables camaradas. Las últimas siluetas van desdibujándose en la distancia hasta desaparecer...

El grupo escogido continúa hacia lo ignoto. Sus nombres son: Scott, Bowers, Oates, Wilson y Evans.

EL POLO SUR

Las anotaciones de aquellos últimos días descubren una gran inquietud a medida que se acercan al Polo. El diario continúa diciendo: «Nuestras sombras emplean una gran cantidad de tiempo para ir de nuestra derecha a nuestro frente y luego seguir hasta colocarse a la izquierda.» Pero la esperanza es cada vez mayor. Scott va anotando las distancias ya recorridas: «Sólo faltan ciento cincuenta kilómetros hasta el Polo, pero de seguir así, no podremos resistirlo.» Y dos días más tarde dice: «Sólo faltan ciento treinta y siete kilómetros hasta el Polo, pero serán muy amargos.» De repente, las anotaciones adquieren un tono más optimista: «¡Sólo a noventa y cuatro kilómetros del Polo! Si no conseguimos llegar hasta él, habremos llegado muy cerca.» El 14 de enero, la esperanza se convierte en seguridad: «¡Sólo a setenta kilómetros! ¡Tenemos el final ante nosotros!» Y al día siguiente, las notas del diario respiran franca alegría: «Sólo nos quedan cincuenta miserables kilómetros. ¡Tenemos que llegar hasta allí, cueste lo que cueste!»

De estos rápidos renglones dedúcese a las claras cómo latiría de emoción el corazón de los intrépidos exploradores con el anhelo de lograr su propósito, cómo se estremecerían sus nervios de impaciencia y esperanza. Tienen la presa cerca. Los brazos se tienden ya para apoderarse del último serceto de la Tierra. Falta un postrer esfuerzo para lograr el objetivo propuesto.

EL 16 DE ENERO

«Buen humor», consigna Scott en el diario. Por la mañana salen más temprano que ningún día, pues la impaciencia les impulsa a salir de sus sacos de dormir, para contemplar cuanto antes el maravilloso y terrible secreto. Recorren catorce kilómetros hasta la tarde; marchan serenos a través del blanco desierto sin vida; no cabe dudar de que la meta será alcanzada. La trascendental hazaña está casi realizada. De pronto, Bowers se muestra intranquilo. Su mirada se clava anhelosamente en un diminuto punto oscuro que se destaca en aquella inmensa sábana de nieve. No se atreve a participar su sospecha, pero en el cerebro de todos se agita la misma y terrible idea; la idea de que otro hombr hubiera podido plantar allí su señal. Procura tranquilizarse, aunque sin tenerlas todas consigo. Y así como Robinsón se empeña en vano en persuadirse de que la huella que ha descubierto en la isla es la de su propio pie, así también dícense ellos que puede ser una grieta de hielo, tal vez un simple reflejo. Tratan de engañarse unos a otros, pero todos saben ya la verdad sin la menor duda posible: los noruegos, Amundsen, les han tomado la delantera.

Pronto se desvanece la última incertidumbre ante el hecho auténtico de una bandera negra atada a un trineo abandonado allí con los restos de un campamento. Varios trineos y huellas de perros. Era indudable: Amundsen había acampado allí. Lo que el ser humano ha considerado grandioso, lo incomprensible, ha sucedido ya: el Polo de la Tierra que durante miles y miles de siglos había permanecido inexplorado, acaba de ser conquistado por dos veces en el transcurso de poquísimo tiempo, con la sola diferencia de quince días. Y ellos son los segundos — retrasados un mes entre millones de meses —, son los segundos, pero, ante el concepto miserable del hombre, lo primero es el todo y lo segundo ya nada significa. Inútiles han sido todos los esfuerzos, inútiles las privaciones y locas las esperanzas concebidas durante semanas, meses y años. Scott escribe en su diario: «Todas las penalidades, todos los sacrificios, todos los sufrimientos, ¿de qué han servido? Sólo han sido sueños que acaban de desvanecerse.» Las lágrimas acuden a sus ojos y, a pesar de su enorme agotamiento, no consigue aquella noche conciliar el sueño. De mal humor, perdida toda esperanza, emprenden, como condenados, la última etapa hacia el Polo, que ansían pisar a pesar de todo. No tratan de consolarse mutuamente y marchan silenciosos. El 18 de enero, el capitán Scott llega al Polo con sus cuatro compañeros, y como la hazaña de haber sido los primeros ya no puede apasionarlos, contemplan tristemente aquellos desolados parajes. La única descripción que consta en su diario es ésta: Nada puede verse aquí que se distinga de la terrible monotonía de los últimos días.»

La única particularidad que descubren allí no es obra de

la Naturaleza, sino de una mano rival: la tienda de Amundsen con la bandera noruega, que ondea insolente y victoriosa sobre la vencida fortaleza. Una carta del conquistador Amundsen espera allí al segundo que consiguiese llegar después que él a aquel lugar, rogándole que la haga llegar al rey Haakon de Noruega.

Scott está dispuesto a cumplir aquel deber fielmente. El penoso deber de atestiguar ante el mundo que ha sido realizada la hazaña que él también había pretendido llevar a cabo con todo entusiasmo. Izan contristados la bandera inglesa, la «Unión Jack», junto al victorioso emblema de Amundsen. Luego abandonan aquel paraje «infiel a su ambición», azotados por un viento glacial. Con profética amargura escribe Scott en su diario: «Me asusta el regreso.»

EL DESASTRE FINAL

A la vuelta se multiplican los peligros. A la ida se guiaban por la brújula. Ahora tienen que procurar no perder las propias huellas. Mirar de no extraviarse durante varias semanas, para no desviarse de los depósitos de los campamentos, donde les esperan alimentos, ropa y el calor concentrado de las reservas de petróleo. Por eso a cada paso sienten una profunda inquietud, pues se ven obligados a cerrar los ojos para defenderlos de las ráfagas de nieve que trae el viento. Saben que cualquier desviación los conduciría a la muerte. Sus cuerpos carecen ahora de las reservas que poseían al dejar Inglaterra para emprender la expedición. Entonces disponían de las calorías proporcionadas por una alimentación abundante y normal.

Y además les faltaba el resorte de acero de la voluntad que los mantenía a la ida. En sus primeras marchas hacia la meta los impulsaba la propia esperanza, la curiosidad de toda la Humanidad, la conciencia de una hazaña inmortal. Ahora luchan sólo por su existencia, en un regreso sin gloria que más bien temen que anhelan.

La lectura de las notas escritas aquellos días produce una

tremenda impresión. El viento sopla constantemente. El invierno llegó antes de tiempo, y la nieve blanda se endurece, destroza el calzado, aprisiona los pies y dificulta la marcha enormemente. El frío les resta fuerzas. Brota un poco de alegría cada vez que, después de una penosa marcha, consiguen llegar a un depósito. Entonces las palabras palpitan con cierta esperanza. Nada revela de un modo más elocuente el heroísmo espiritual de aquellos hombres como el hecho de que Wilson, el naturalista, pese a las tremendas circunstancias, continúe sus investigaciones científicas y, arrastrando su propio trineo con la carga natural, aumente ésta con dieciséis kilos de piedras raras encontradas por el camino.

Pero la Naturaleza, despiadada en aquellos parajes, puede más que el esfuerzo humano, por heroico que sea, conjurándose el frío, el hielo y el viento contra los cinco expedicionarios. Desde hace días tienen los pies llenos de llagas y se hallan con insuficientes calorías, pues sólo pueden hacer una comida caliente diaria. Debilitados por raciones disminuidas, sus fuerzas empiezan a fallar. Con horror se dan cuenta de que Evans, el más fuerte de todos ellos, se conduce extrañamente: se rezaga por el camino, se queja sin cesar de sufrimientos reales o imaginarios, tiembla, sostiene monólogos absurdos. Debido a las espantosas penalidades, se ha vuelto loco. ¿Qué deben hacer con él? ¿Abandonarlo en aquel desierto de hielo? A toda costa deben llegar al depósito más próximo, si no... Scott no se atreve a escribir la palabra...

A la una de la madrugada del 17 de febrero muere el desdichado oficial, a una jornada escasa del campamento de «El Matadero», donde por vez primera les espera comida más nutritiva, suministrada por la carne de los animales que unos meses antes se vieron obligados a sacrificar allí.

Ya son sólo cuatro los que emprenden la marcha, pero, ¡oh fatalidad!, el depósito que han encontrado les depara una nueva y amarga decepción. Hay poco petróleo, lo que significa que tienen que limitar el combustible a lo más imprescindible, tienen que ahorrar calor, la única defensa de que disponen contra aquel tremendo frío. ¡Oh, qué noche polar tan terrible, helada y tormentosa y qué despertar más doloroso! Apenas tienen fuerzas para calzarse. Pero deciden continuar la marcha. Uno de ellos, Oates, ha de avanzar arrastrándose. Se le han helado los pies. El viento arrecia más que nunca, y al llegar al segundo depósito, el 2 de marzo, se repite otra vez la decepción cruel: el combustible es también insuficiente.

Sus palabras son angustiosas y no pueden disimular la congoja interior que los invade. Se comprende el esfuerzo de Scott para dominar sus temores. Pero a cada momento se adivina el desgarrado grito de la desesperación detrás de las palabras contenidas: «¡Esto no puede continuar!» O bien: «¡Dios mío, no nos abandones; nuestras fuerzas no resisten estas dificultades!» O: «Nuestro drama va convirtiéndose en tragedia.» Y, por último, la espantosa sentencia: «¡Que Dios nos proteja! Nada podemos esperar de los hombres.»

Pero continúan la marcha, sin esperanza, abatidos. Oates apenas puede seguir; representa una carga más para sus compañeros. Tienen que retrasarse por su causa, a una temperatura de 42° bajo cero al mediodía. El desgraciado reconoce que en su estado resulta un estorbo para sus camaradas. Todos están dispuestos para el fin. Piden a Wilson, el naturalista, las diez tabletas de morfina de que van provistos para acelerar la muerte en caso de absoluta necesidad. Pero hacen una jornada más, cargados con el enfermo. Este mismo les pide que le dejen en su saco de dormir, abandonado a su suerte. Enérgicamente rechazan semejante proposición, aunque estén convencidos de que sería para ellos un alivio. El enfermo puede andar todavía unos pocos kilómetros sobre sus helados y vacilantes pies, y de esta manera pueden llegar al campamento más próximo, donde duermen. Al despertar a la mañana siguiente y salir al exterior, el huracán ha arreciado.

De repente, Oates se levanta: «Voy a salir afuera — dice a sus amigos —. Tardaré un poco.» Sus compañeros se estremecen. Todos saben lo que significa aquella salida. Pero ninguno de ellos se atreve a detenerle, ninguno le tiende la

mano como última despedida. Todos saben que el capitán de caballería Lawrence J. E. Oates, de los dragones de Inniskilling, va como un héroe al encuentro de la muerte.

Tres hombres de la expedición se arrastran sin fuerzas por aquel infinito desierto de hielo. Exhaustos, sin esperanza, sólo el instinto de conservación los impulsa a continuar la marcha. El tiempo es cada vez más despiadado. Cada depósito supone para ellos una nueva decepción. Continúa la escasez de petróleo y la consiguiente falta de calor. El 21 de marzo se hallan a una distancia de veinte kilómetros de uno de los depósitos, pero el viento sopla con tal furia que no pueden salir de la tienda. Cada noche esperan que a la mañana siguiente podrán alcanzar la meta, y, entre tanto, van consumiéndose las provisiones, y con ellas desaparece la postrera esperanza. Ya no les queda combustible y el termómetro marca 40° bajo cero. Han de morir de hambre o de frío. Durante tres días, aquellos hombres cobijados en la tienda luchan contra la fatalidad en el seno de aquel gélido e inhóspito mundo. El 29 de marzo saben ya que ni un milagro puede salvarlos. Entonces deciden no dar un paso más y aceptar la muerte dignamente, con la entereza con que soportaron todas las demás penalidades. Se meten en sus sacos de dormir, y de sus últimos sufrimientos no ha trascendido el menor detalle.

LAS CARTAS PÓSTUMAS DE UN MORIBUNDO

En aquellos terribles momentos en que se encuentra solo, frente a frente con la muerte, mientras sopla con furia el huracán, arremetiendo rabiosamente contra las frágiles paredes de la tienda, piensa el capitán Scott en todas aquellas personas a las cuales está ligado con distintos lazos. En medio de aquel helado silencio se despiertan sus sentimientos de fraternidad para con su propia nación, para la Humanidad entera. La íntima *Fata Morgana* de su espíritu va evocando en el lejano y blanco desierto las imágenes de aquellos seres queridos a quienes debe amor, fidelidad y amistad. A todos les dirige la palabra. Con los dedos entorpecidos por el frío, el capitán Scott, a la hora de la muerte, escribe cartas a los seres vivos que son entrañables para él.

Fueron escritas a sus contemporáneos, pero sus palabras pasarán a la eternidad.

Escribe a su mujer. Le recomienda que cuide a su tesoro, su hijo. Le pide que lo defienda y lo proteja. Al final de una de las empresas más nobles de la historia del mundo hace una confesión: «Como tú sabes, tenía que esforzarme para ser activo, pues siempre he sido inclinado a la pereza.» Cerca de la muerte se muestra satisfecho de su resolución en vez de lamentarla: «¡Cuántas cosas podría contarte de este viaje! A pesar de todo, ha sido mucho mejor que lo realizara, en vez de quedarme en casa rodeado de comodidades.»

Y como fiel camarada escribe también a la madre y a la esposa de cada uno de sus compañeros de infortunio, que mueren con él, para testimoniar su heroicidad. Un moribundo consuela a los familiares de los demás impulsado por un sentimiento poderoso, sobrehumano, por la grandiosidad del trágico momento y lo memorable del desastre.

Escribe, además, a los amigos. Modesto consigo mismo, se muestra orgulloso respecto a su patria, de la que se siente hijo dignísimo. «No sé si he sido un gran descubridor — declara —, pero nuestro fin será testimonio del espíritu valiente, de la resistencia al dolor, que no se han extinguido en nuestra raza.» Y la muerte le hace confesar un profundo sentimiento de amistad que su gran delicadeza y su timidez espiritual le impidieron expresar debidamente. Y escribe: «En toda mi vida encontré un hombre que me inspirase mayor afecto y admiración que usted, aunque nunca pude demostrarle lo que para mí significa su amistad, pues usted tenía mucho que dar y yo no podía corresponderle.»

Luego escribe una última carta, la más hermosa de todas, dirigida a la nación inglesa, en la que manifiesta que, en aquella lucha por la gloria de Inglaterra, perece completamente inocente de culpa. Hace constar la serie de obstáculos conjurados contra él y, con un acento que la presencia invisible de la muerte hace hondamente patético, se dirige a todos sus compatriotas para suplicarles que no abandonen a sus huérfanos. Sus últimas palabras no se refieren a él, sino a la vida de los demás: «¡Por el amor de Dios, no desamparéis a los que quedan!»

Siguen luego las páginas en blanco. Hasta que el lápiz se desprendió de sus rígidos y helados dedos, el capitán Scott continuó escribiendo en el diario de la expedición. El pensamiento de que junto a su cadáver podrían hallarse aquellas páginas, testimonios evidentes de su valor, representativo del de la raza inglesa, fue el que le permitió realizar el sobrehumano esfuerzo. Y aún añadió con letra insegura, debido a los agarrotados dedos, para expresar su última voluntad: «Remitan el diario a mi esposa.» Luego, impulsado por una cruel certidumbre, tacha la palabra «esposa» y escribe: «a mi viuda».

LA RESPUESTA

Durante varias semanas los esperaron sus compañeros. Primero esperanzados, luego algo preocupados y por fin dominados por una terrible angustia. Por dos veces se enviaron expediciones de socorro, pero el mal tiempo los obligó a retroceder. Todo el invierno pasaron los expedicionarios en su refugio, deprimidos por el presentimiento de la catástrofe. Durante todos aquellos meses, la suerte y la hazaña del capitán Scott quedaron envueltas en el silencio, sepultadas bajo la nieve. El hielo guardó a los heroicos hombres en un sarcófago de cristal. No sale otra expedición hasta el 29 de octubre, en la primavera austral, para hallar por lo menos los restos de aquellos valientes y los mensajes que sin duda habrían dejado. Y el 18 de noviembre llegan a la tienda, donde encuentran los cadáveres metidos dentro de los sacos de dormir. Scott está abrazado a Wilson. Los expedicionarios recogen las cartas y los documentos. Antes de partir sepultan a las víctimas. Como solitario recuerdo, sobre un montón de nieve se destaca una sencilla cruz en aquel blanco mundo que guarda en su helado seno una de las mayores gestas de la Humanidad.

¡Pero no! Inesperada y maravillosamente, las hazañas resucitan gracias a la milagrosa técnica moderna. Los expedicionarios llevan a Inglaterra las placas fotográficas y las películas encontradas. Al ser reveladas puede volver a verse a Scott y a sus compañeros en su peregrinación por las inmensas regiones polares, que sólo Amundsen había podido contemplar aparte de ellos. Por todos los ámbitos del admirado mundo se difunden por cable sus palabras y sus cartas, y en la catedral del Reino Unido, el Rey dobla la rodilla en homenaje a los héroes. Así vuelve a ser fecundo lo que pareciera estéril. De una muerte heroica surge una vida magnífica. Sólo la ambición se aviva con la llama del éxito, pero no existe nada que eleve tanto los sentimientos humanos como la muerte de un hombre en su lucha contra el poder invisible del destino. Es la tragedia más sublime, cantada de vez en cuando por un poeta y que la vida plasma millares de veces.

EL TREN DE LIBRE CIRCULACIÓN

LENIN, 9 DE ABRIL DE 1917

EL HUÉSPED DEL ZAPATERO REMENDÓN

Suiza, oasis de paz, refugio de toda clase de gente durante la primera guerra mundial, se convirtió desde 1915 a 1918 en escenario de una emocionante novela detectivesca. En los hoteles de lujo se cruzaban con fría indiferencia, como si no se conocieran, los embajadores de las potencias beligerantes, que un año atrás jugaban amistosamente al *bridge*. Salen y entran continuamente de sus habitaciones toda una serie de impenetrables figuras: delegados, secretarios, agregados diplomáticos, hombres de negocios, damas, ocupados en misiones secretas. Ante los hoteles se ven lujosos automóviles con matrículas extranjeras, de los cuales descienden industriales, periodistas y, al parecer, casuales turistas. Pero casi todos ellos tienen la misma misión: enterarse de algo, descubrir algo. Y también el conserje, el botones que los conduce a sus habitaciones, la mujer de la limpieza, han recibido el encargo de vigilar, de escuchar lo que puedan. Por todas partes luchan, en una guerra sorda e invisible, unos contra otros, ora en los hoteles, en las pensiones, en las oficinas de correos, en los cafés. Lo que llaman propaganda es, en gran parte, espionaje; lo que se disfraza de amor, traición; cualquiera de los negocios declarados de todos aquellos apresurados visitantes resultan un segundo o un tercer negocio completamente distinto. Todo es motivo de observación, todos los movimientos son vigilados. Si un alemán pisa el suelo de Zürich, lo sabe inmediatamente la embajada enemiga en Berna, y al cabo de una hora se enteran en París. Las grandes y pequeñas agencias envían cada día a los agregados enormes cantidades de papel con informes verídicos o inventados, informes que ellos se encargan de difundir luego. Las paredes parecen transparentes; se escuchan todas las conversaciones telefónicas. De los trozos de papel de las papeleras y las huellas de tinta impresas en los papeles secantes se pretende rehacer la correspondencia que puede interesar. Es tal el maremágnum, que hay muchos que ni ellos mismos saben lo que son, si perseguidores o perseguidos, espías o espiados, traicionados o traidores.

Sin embargo, hay un hombre de quien nadie dice nada, quizá porque no llama la atención y no habita en ningún gran hotel, ni frecuenta los cafés, ni asiste a ningún acto de propaganda, sino que vive retirado con su esposa en casa de un zapatero remendón. Contiguo al Limmat, en la Spiegelgasse, viejo y angosto callejón, habita en el segundo piso de una de aquellas casas de la ciudad antigua, de sólida construcción, rematada por un tejado y ennegrecida por el tiempo y por el humo que sale de una fábrica de embutidos que está en el patio de la casa. Tiene por vecinos a una panadera, a un italiano y a un actor teatral austríaco. Como es poco comunicativo, los otros inquilinos apenas saben más de él que su condición de ruso y que tiene un nombre difícil de pronunciar. La patrona puede darse perfecta cuenta de que hace muchos años que su huésped huyó de su patria, que no dispone de mucho dinero y que no se dedica a ningún negocio lucrativo, por lo parco de su alimentación y la modestia, rayana en la miseria, de los vestidos de ambos cónyuges, que no precisan de grandes maletas para su transporte, ya que no alcanzan a colmar el cesto que trajeron consigo cuando llegaron.

Este hombre, pues, pasa inadvertido, lo cual es muy comprensible, dada su reservada manera de vivir. Evita toda compañía. Las gentes de aquella casa tienen pocas ocasiones de ver la acerada y oscura mirada de sus oblicuos ojos. Visitas apenas recibe. Pero con regularidad constante va cada día a las nueve de la mañana a la biblioteca pública, permaneciendo en ella hasta las doce, hora en que ésta se cierra. A los diez minutos está ya en su casa para tomar su frugal comida, y vuelve a salir a la una menos diez para ser nuevamente el primero en llegar a la biblioteca, donde permanece hasta las seis de la tarde. Los reporteros y agentes de noticias sólo se fijan en los hombres que se mueven mucho, sin darse cuenta de que son siempre los solitarios, los ávidos de sabiduría, los que encierran ideas revolucionarias, y no se interesan por aquel insignificante individuo que vive en casa de un zapatero. En los círculos socialistas se sabe de él que fue redactor en Londres de un pequeño diario de tendencias radicales publicado por los emigrados rusos, y que en San Petersburgo se le cree el jefe de cierto partido aislado del que es preferible no acordarse; pero como habla dura y despectivamente de las personas más destacadas del partido socialista, considerando equivocados sus planes, y como se manifiesta intransigente y por completo opuesto a toda conciliación, no se preocupan mucho de él. Claro está que convoca de vez en cuando, por la noche, alguna reunión en un café proletario, pero sólo acuden a ella unas quince o veinte personas, jóvenes en su mayoría, y por lo tanto se considera a aquellos solitarios individuos como el resto de esos emigrados cuyos cerebros se exaltan a base de abundante té y muchas discusiones.

Nadie concede importancia al hombrecillo de frente voluntariosa; no hay persona en Zürich capaz de querer grabar en su memoria el nombre del célebre huésped del zapatero, de ese Vladimiro Ilitch Ulianov. Y si por entonces alguno de los lujosos automóviles que iban apresuradamente de embajada en embajada lo atropellara, causándole la muerte en plena calle, tampoco el mundo le hubiera reconocido ni bajo el nombre de Ulianov ni por el de Lenin.

¿REALIZACIÓN?

Un día, sin embargo, el 15 de marzo de 1917, el bibliotecario de Zürich advierte con extrañeza que, a pesar de que las saetas del reloj marcan las nueve, el puesto que acostumbraba ocupar el misterioso individuo está vacío. Pasan las nueve y media, las diez, pero aquel lector incansable, aquel devorador de libros, no comparece, ni comparecerá jamás. Y es que, camino de la biblioteca, uno de sus amigos rusos le ha dado la noticia de que en Rusia había estallado la revolución.

Lenin, al principio, no quería creerlo; está como anonadado ante semejante nueva. Pero luego, con sus característicos pasos, cortos y firmes, se precipita hacia el quiosco de periódicos situado a la orilla del lago, y tanto allí como ante la redacción del periódico espera la confirmación del trascendental acontecimiento durante horas y horas, días y días. Pero sí, la noticia era fidedigna. Cada vez se convence más de ello. Primero fue un simple rumor de que había ocurrido algo en el palacio de los zares. Se habló luego de un total cambio de Ministerio, y más tarde de la abdicación del Zar, de la instauración de una regencia provisional, la Duma, la libertad del pueblo ruso, la amnistía de los presos políticos...

Todo, todo aquello que desde hacía años venía él soñando, todo aquello por lo cual había trabajado durante veinte años en organizaciones secretas, en la cárcel, en Siberia, en el destierro, se había cumplido. Y de pronto tiene la impresión de que los millones de hombres muertos en la guerra no habían caído inútilmente. Ya no le parecen víctimas sin sentido. Este hombre, soñador y calculador a la vez, frío y cauteloso, se siente como embriagado. Y, como él, se estremecen de emoción y sienten inmenso júbilo muchos otros desterrados que habitan en humildes viviendas en Ginebra, en Lausana y en Berna. ¡Oh, poder volver a la patria, regresar a Rusia! Y regresar no con nombres y pasaportes falsos, no con peligro de muerte, al Imperio de los Zares, sino como ciudadanos libres a un país libre. Todos preparan ya su mísero equipaje, puesto que los periódicos publican un telegrama de Gorki, redactado en términos lacónicos, que dice así: «Regresad todos a la patria.» Envían cartas y telegramas a múltiples direcciones. ¡Oh felicidad inmensa! Poder regresar, concentrarse todos y volver a ofrendar otra vez la vida, que habían ya dedicado desde las primeras horas lúcidas de su existencia, a la inmensa obra: la revolución rusa.

DECEPCIÓN

Al cabo de algunos días llega la noticia que es para ellos como una consternadora sentencia: la revolución rusa, que había conmovido sus corazones profundamente, no es la revolución que habían soñado, no es ninguna revolución propiamente rusa. Ha sido simplemente un alzamiento palaciego contra el Zar, urdido por diplomáticos ingleses y franceses, para impedir que el Zar concertara una paz por separado con Alemania. No, no era la revolución del pueblo, que pretende la paz y la consecución de sus derechos. No, no es la revolución por la que vivieron y por la que están dispuestos a morir, sino una intriga de partidos bélicos, de generales y de imperialistas, que no quieren estorbos en sus planes. Y presto reconocen Lenin y los suyos que la invitación a volver a la patria no afecta a todos aquellos que quieren la verdadera y radical revolución marxista. Incluso Miliukov y otros liberales han dado orden ya para que se retrase su regreso. Y mientras socialistas moderados como Plechanov, necesarios para la continuación de la guerra, son conducidos de Inglaterra a San Petersburgo con todos los honores en un torpedero, retienen a Trotsky en Halifax y a los otros radicales en la frontera. En todos los Estados de la *Entente* hay listas negras con los nombres de los participantes en el Congreso de la Tercera Internacional en

Zimmerwald. Desconcertado, Lenin envía telegrama tras telegrama a San Petersburgo, pero o bien son interceptados o quedan sin despachar. Lo que en Zürich se ignora, y apenas hay quien lo sepa en Europa, lo conocen a fondo en Rusia : el peligro que representa para sus contrarios aquel hombre al parecer insignificante que se llama Vladimiro Ilitch Lenin.

La desesperación de los «fichados» por no poder regresar no tiene límites. Desde años y años han estado planeando la estrategia de su revolución rusa en las sesiones memorables de su Estado Mayor en Londres, en París y en Viena. Han sopesado, estudiado y discutido cada uno de los detalles de la organización. En abierto debate han equilibrado por espacio de varios decenios, en sus publicaciones teóricas y prácticas, las dificultades, los peligros, las posibilidades. Ese hombre ha estado toda su vida revisándolas una y otra vez hasta llegar a una conclusión definitiva. Y ahora, hallándose retenido en Suiza, ha de ver cómo esa revolución que era «suya» es desvirtuada por otros, cómo la idea, para él santa, de la liberación del pueblo se supeditaba al servicio de naciones e intereses extranjeros.

Existe cierta curiosa analogía entre el destino de Lenin y Hindenburg, pues éste, después de pasarse cuarenta años realizando maniobras estratégicas en supuestos campos de batalla rusos, al estallar la guerra se ve obligado a permanecer en casa vestido de paisano y a seguir con banderitas sobre un mapa los avances y retrocesos del ejército mandado por otros generales.

En aquellos días de desconcierto, las ideas más fantásticas y disparatadas pasaron por el cerebro del hombre realista que fue siempre Lenin. ¿No podría alquilarse un avión que salvara la distancia sobre Alemania y Austria? Pero el primero que se le ofreció para tal empresa resultó ser un espía. Cada vez se van haciendo más descabelladas y confusas las ideas de la fuga. Escribe a Suecia para que le procuren un pasaporte sueco, pensando hacerse pasar por mudo para no tener que dar explicaciones. Como es natural, por la mañana, tras aquellas noches de desenfrenada fantasía, el mismo Lenin se da cuenta de lo irrealizable que son semejantes sueños. Pero tiene una obligación que no puede eludir: ha de regresar a Rusia, ha de hacer su propia revolución en lugar de la otra; ha de llevar a cabo la auténtica revolución, la revolución honrada, en lugar de la revolución meramente política. Tiene que regresar a la patria lo antes posible. ¡A toda costa! Caso de obtener una paz inmediata por su mediación, asumirá una tremenda responsabilidad que implacablemente le tendrá en cuenta la Historia por haber impedido la paz justa y victoriosa de Rusia.

No sólo los revolucionarios tibios, sino los que comparten incondicionalmente sus ideas, quedan horrorizados cuando les da cuenta de lo que se propone hacer, o sea escoger el medio, el camino más difícil y más comprometido. Consternados, le indican que existen ya negociaciones a través de los socialdemócratas suizos para conseguir el regreso de los revolucionarios rusos por el camino legal y neutral del intercambio de prisioneros. Pero Lenin ve inmediatamente el tiempo que se perderá utilizando aquel camino, máxime estando seguro de que el Gobierno ruso procurará retardar el regreso cuanto sea posible. Además, cree que cada día y cada hora que pasan son decisivos. Él sólo ve el fin que persigue, mientras los demás, menos cínicos y menos audaces, no se atreven a decidirse a llevar a cabo lo que desde todos los puntos de vista, leyes y ética humanos no deja de ser una traición. Pero Lenin, resuelto, inicia bajo su responsabilidad personal las negociaciones con el Gobierno alemán.

El célebre pacto

Justamente porque Lenin sabía muy bien lo escandaloso y trascendental que era el paso que iba a dar, quiso obrar con la máxima claridad. A instancias suyas, el secretario del Sindicato Obrero Suizo, Fritz Platten, visita al embajador alemán, que antes ya había tratado en términos generales con los emigrados rusos, y le expone las condiciones de Lenin. Porque aquel insignificante y desconocido desterrado, como si previese su futura autoridad, no se dirige al Gobierno alemán en tono suplicante, sino que le presenta sus condiciones bajo las cuales los viajeros estarían dispuestos a aceptar la conformidad del Gobierno alemán y que son éstas:

Que se le conceda al vagón en que viajan el derecho de extraterritorialidad; que ni a la entrada ni a la salida de Alemania se ejerza inspección de pasaportes y personas; que puedan pagar por sí mismos el importe del billete del ferrocarril según la tarifa corriente establecida, y, por último, que ni por orden superior ni por propia iniciativa saldrán del vagón.

El ministro Romberg dio curso a estas noticias. Llegaron a conocimiento incluso de Ludendorff, y merecieron su apoyo, aunque en sus memorias no se lee ni una palabra sobre esta decisión de tanta trascendencia histórica, quizá la más importante de su vida. En algunos detalles pretende el embajador obtener alguna modificación, pues el protocolo está redactado astutamente por Lenin en forma tan ambigua que se presta a que en el famoso tren puedan viajar sin fiscalización de ninguna clase no solamente rusos, sino incluso un austríaco, como Radek. Pero, igual que Lenin, el Gobierno alemán también tiene prisa. Por aquellos días, precisamente el 5 de abril, los Estados Unidos de América declaran la guerra a Alemania.

Y Fritz Platten, secretario del Sindicato Obrero Suizo, recibe por fin, el 6 de abril al mediodía, la memorable comunicación: «Asunto resuelto favorablemente.»

El 9 de abril de 1917, a las dos y media de la tarde, un reducido grupo de gente mal vestida, cargada con sus maletas, sale del restaurante *Zähringer Hof* hacia la estación de Zürich. Suman en total treinta y dos personas, incluyendo mujeres y niños. De los hombres sólo ha perdurado el nombre de tres de ellos: Lenin, Zinoviev y Radek. Todos juntos comieron modestamente y firmaron un documento

en el que manifestaban que conocen la publicación de la noticia por parte del *Petit Parisien*, según la cual el Gobierno provisional de Rusia piensa considerar a los viajeros que atraviesen Alemania como reos de alta traición. Firmaron con desmañada letra que aceptaban la plena responsabilidad que puede derivarse de aquel viaje y que se avenían a todas las condiciones. Y silenciosa y resueltamente, aquellos hombres emprenden el viaje que ha de repercutir en la historia del mundo.

Su llegada a la estación no suscitó curiosidad alguna por parte de nadie. No comparecieron ni reporteros ni fotógrafos. Y es que ¿quién conoce en Suiza a aquel tal señor Ulianov que, tocado con un deformado sombrero, vistiendo una raída chaqueta y calzado con unas pesadas botas de montaña, busca en silencio un sitio en el vagón, entre el apiñado montón de hombres y mujeres cargados con fardos y cestos? Por su aspecto, en nada se diferencian estas gentes de los numerosísimos emigrantes que, procedentes de Yugoslavia, Rutenia y Rumania, suelen verse en la estación de Zürich sentados en sus equipajes, gozando de unas horas de descanso mientras esperan poder continuar el viaje hasta el litoral francés y de allí a ultramar. El Partido Obrero Suizo, que no está conforme con semejante aventura, no ha enviado a ningún representante suyo. Sólo han acudido a despedirlos unos cuantos rusos que aprovechan la ocasión para enviar algunas provisiones y saludos a los familiares que tienen en la patria, y también ciertos compañeros que en el último momento intentan aún disuadir a Lenin de la insensata y peligrosa empresa. Pero la decisión estaba tomada. A las tres y diez de la tarde dan la señal de salida. Y el tren parte en dirección a Gottmadingen, la frontera alemana. Desde aquella memorable hora, el mundo seguirá un rumbo distinto.

EL VAGÓN PRECINTADO

Millones de aniquiladores proyectiles se dispararon durante la guerra mundial, ideados por ingenieros para que tuvieran el máximo alcance y la máxima potencia. Pero ninguno de ellos tuvo mayor alcance, más decisiva intervención en el destino de la Historia, que ese tren que, transportando a los revolucionarios más peligrosos y más resueltos del siglo, corre velozmente ahora desde la frontera suiza a través de toda Alemania, facilitándoles su vuelta a Rusia, a San Petersburgo, donde harán saltar hecho añicos el orden establecido hasta entonces.

En Gottmadingen espera la llegada de ese extraordinario proyectil un vagón con departamentos de segunda y tercera clase; las mujeres y los niños ocupan los de segunda; los de tercera, los hombres. En el suelo, una raya trazada con yeso limita y separa la parte ocupada por los rusos del departamento donde van los dos oficiales alemanes que custodian aquel transporte de explosivos humanos. Transcurre la noche sin incidentes. Sólo al llegar a Francfort irrumpen de pronto en la estación algunos soldados alemanes que se habían enterado del paso de los revolucionarios rusos, y es rechazado totalmente un intento de los socialdemócratas germanos para entenderse con los rusos. Lenin sabe muy bien las sospechas que se atraería si cambiara una sola palabra con algún alemán en su propio suelo. En Suecia son recibidos con entusiasmo. Hambrientos devoran los viajeros el desayuno preparado al estilo del país para ellos. Los *smorgas* les saben a gloria. Lenin se provee de otro calzado y algunas prendas de vestir. Al fin se encuentra en la frontera rusa.

EFECTO DEL PROYECTIL

Lo primero que hace Lenin al llegar al territorio ruso es muy propio de él: no va a ver a las gentes aisladamente, sino que se apresura ante todo a visitar las redacciones de algunos periódicos. Hace catorce años que falta de su patria, que no ha visto la tierra rusa, ni la bandera de la nación, ni los uniformes de los soldados. Pero, distinto a los demás compañeros del viaje, aquel férreo idealista no lloró, ni abrazó a los sorprendidos soldados, como hicieron las mujeres. No, lo primero para él era correr a las redacciones de los periódicos, sobre todo a la de *Pravda*, para comprobar si «su periódico» sabe mantener firmemente su punto de vista internacional. Indignado, rompe el ejemplar después de leerlo. No, no es bastante, todavía no se subraya debidamente la auténtica revolución, todavía destila patriotismo, patriotería. Ha llegado a tiempo, a su modo de ver, para tomar la dirección del asunto y luchar por sus ideas hasta triunfar o ser derrotado. Pero ¿lo conseguirá? Por última vez siente todavía cierta angustiosa inquietud. ¿No procurará Miliukov hacerle encarcelar allí mismo, en Petrogrado? (Aunque por poco tiempo, la ciudad se llama aún así.) Los amigos que acuden a su encuentro están ya en el tren. Kamenev y Stalin sonríen de un modo inescrutable en el oscuro departamento de tercera clase, vagamente iluminado por la mortecina luz de un farol. No le contestan o no quieren contestar.

Pero la respuesta, que la realidad se encarga de dar, es insospechada. Cuando el tren entra en agujas en una estación finlandesa, la inmensa plaza está llena de gente. Pueden contarse por millares los obreros; representaciones de todos los cuerpos armados esperan para rendir honores a los desterrados que vuelven a la patria. Resuena la «Internacional». Y cuando Vladimiro Ilitch Ulianov desciende del tren, aquel hombre insignificante que hasta hace poco vivía en Suiza en casa de un zapatero remendón, es aplaudido por una ingente multitud y llevado en hombros hasta un automóvil blindado. Los reflectores instalados en las fachadas de las casas y en el castillo se concentran sobre él, y desde aquel coche blindado dirige su primer discurso al pueblo. Bulle animadamente el gentío por las calles. Ha comenzado el «ciclo de diez días que lo trastorna todo». El proyectil ha dado en el blanco, ha destruido un imperio y cambiado la faz del mundo.

Í N D I C E